LE PRIX DU RISQUE

L'auteur

Lauren Brooke a grandi dans un ranch en Virginie et vit à présent en Angleterre, dans le Leicestershire. Elle sut monter à cheval avant même de savoir marcher. Dès l'âge de six ans, elle a régulièrement participé à des concours équestres. Elle fait tous les jours de longues balades à cheval, accompagnée par son mari, vétérinaire spécialiste des chevaux.

Vous aimez les livres de la série

Heartland

Écrivez-nous
pour nous faire partager votre enthousiasme.
Pocket Jeunesse, 12, avenue d'Italie, 75013 Paris.

Heartland

Lauren Brooke

Le prix du risque

Traduit de l'anglais par Jackie Valabrègue

Titre original :
Taking Chances

Loi n° 49 956 du 16 juillet 1949 sur les publications destinées
à la jeunesse : mai 2001.
© 2001, Working Partners Ltd
Publié pour la première fois en février 2001
par Scholastic Inc. Tous droit réservés.
© 2001, éditions Pocket Jeunesse, département d'Univers
Poche pour la traduction française et la présente édition.

La série « Heartland » a été créée par
Working Partners Ltd, Londres.

Heartland™ est une marque déposée
appartenant à Working Partners Ltd.
ISBN : 2-266-09963-9

Seule Laura peut comprendre
leur douleur,

seule Laura sait
comment soigner leurs blessures,

seule Laura leur redonnera
confiance en la vie...

Partagez avec elle, à

Heartland

sa passion des chevaux.

À mes parents qui, en m'offrant mon premier poney, ont transformé mes rêves en réalité.

Un remerciement tout spécial à Linda Chapman.

❧ 1 ❧

Laura acheva de remplir le seau d'eau, le déposa dans le box de Solo, puis jeta un coup d'œil sur sa montre. Midi trente. Soraya n'allait pas tarder. Elle alla attendre son amie en haut de la longue allée bordée par les paddocks.

La brise d'automne caressait les robes luisantes des chevaux et des poneys qui paissaient paisiblement. Un seul enclos était vide. Laura contempla un jeune orme fraîchement planté au milieu, et poussa un soupir douloureux.

— Oh, Pegasus... murmura-t-elle en songeant au vieux cheval gris qui avait été enterré là, trois semaines plus tôt.

Pegasus avait été un merveilleux cheval.

Sa présence l'avait aidée lorsque sa mère avait été tuée dans un accident de la route.

Que de bouleversements en si peu de temps ! La disparition de sa mère, Marion Fleming... de Pegasus... Le retour de Lou à la maison.

Sa présence était la seule joie qui avait éclairé les mauvais jours. À la mort de leur mère, sa sœur avait décidé de quitter New York. Elle était venue s'installer à Heartland, la ferme de leur grand-père, où Marion Fleming avait fondé un centre de rééducation pour chevaux maltraités.

Le bruit d'une voiture arracha Laura à ses souvenirs, et elle s'efforça de sourire en apercevant son amie qui s'agitait sur le siège du passager.

Un instant plus tard, celle-ci descendait du véhicule.

— À tout à l'heure, maman ! Et merci pour le détour !

— Amusez-vous bien, répondit Mme Martin en souriant.

Les deux filles ne tardèrent pas à enfourcher leur monture. Laura montait Sundance dont le sale caractère était aussi légendaire que ses talents de sauteur. Soraya montait Jazz, une petite jument.

Soudain, Laura aperçut un tronc d'arbre qui barrait le chemin. Elle rassembla les rênes.

— On y va, bonhomme ? chuchota-t-elle à l'oreille de son cheval.

— Fais gaffe, c'est dangereux ! lança Soraya.

— Pas pour Sundance !

Laura assura son assiette, flatta l'encolure du poney qui banda ses muscles et franchit l'obstacle en souplesse.

— Brave garçon ! jubila Laura.

— Super ! cria son amie en la rejoignant.

Jazz allongea le cou vers Sundance. Mal lui en prit. Les oreilles du poney se couchèrent en arrière et il montra les dents.

— Pas de ça, Sundance ! Jazz est ton amie ! gronda Laura.

La jalousie du poney aussi était célèbre. Il adorait Laura. La jeune fille l'avait trouvé dans une vente de chevaux. Maigre et misérable, il attaquait quiconque s'approchait de la barrière. Laura avait convaincu sa mère de l'acheter. Puis, progressivement, elle avait gagné la confiance et l'affection de Sundance.

— Tu vas l'inscrire à des concours ? demanda Soraya.

— Je n'ai pas encore eu le temps de m'en occuper. L'opération portes ouvertes a eu tellement de succès que toutes les stalles sont pleines. Il y a encore des clients sur la liste d'attente.

Lou avait eu une excellente idée en organisant cette journée. Laura et Ted y avaient fait la démonstration des méthodes appliquées à Heartland sur les chevaux maltraités ou blessés.

— Ça va drôlement arranger vos finances ! souligna Soraya.

Après les difficultés qu'ils avaient rencontrées depuis la mort de Marion, il était grand temps que la chance leur sourie de nouveau. Heartland avait été à deux doigts de fermer.

— On est débordés de travail et j'en suis heureuse. Je pense que tout ira encore mieux quand John travaillera avec nous.

John était le neveu de Lisa Stillman,

propriétaire de Fairfield, une prestigieuse écurie de chevaux arabes. Conquise par leurs succès, elle avait décidé d'envoyer John travailler à Heartland afin de le former à leurs méthodes.

— Tu crois qu'il sort avec une fille ? demanda Soraya, mine de rien.

— Pourquoi ? Il t'intéresse ? plaisanta Laura.

— Il n'est pas mal, non ? Comme il ne connaît personne ici, je lui ai proposé de lui faire visiter les environs.

— Bof ! Ne te mets pas en quatre pour lui. Ted peut le faire. Il a toujours rêvé d'avoir un copain sur place, la taquina Laura.

— Tu rigoles ? Je serais un bien meilleur guide ! répliqua Soraya.

— Moi, ce qui m'intéresse, c'est de voir son cheval. Il a accepté de venir à Heartland à condition de l'amener ici.

— À quelle heure il arrive ?

— À deux heures.

Soraya jeta un coup d'œil à sa montre.

— Rentrons, il est déjà une heure et demie.

Laura et Soraya coupèrent à travers la forêt. Lorsqu'elles en sortirent, Heartland n'était plus loin.

En traversant la cour, elles entendirent de violents coups de sabot contre le mur de l'écurie.

— Du calme ! disait Ted en haussant la voix.

— J'ai l'impression qu'il a besoin d'un coup de main, fit Laura.

— Vas-y, je m'occupe de Sundance.

Laura lui tendit les rênes et entra dans l'écurie. Six stalles s'alignaient de chaque côté de l'allée centrale. Le raffut venait du box de Dancer, une jument trouvée à l'abandon sur un terrain isolé et dont les jambes avaient été entravées pour qu'elle ne s'enfuie pas. Après avoir été alertée par la SPA, Laura était allée la chercher avec Ted, deux jours plus tôt.

— Ça va, Ted ?

En guise de réponse, il passa la tête par la porte du box, ses cheveux en bataille, et essuya son visage en sueur. Laura s'approcha. Contre le mur du fond, la jument était toute tremblante.

— Qu'est-ce qui se passe ?

— Quand j'ai soulevé son sabot, elle a cassé sa longe et elle est devenue dingue.

— On pourrait peut-être lui donner de la poudre de noisette, c'est ce que maman donnait aux chevaux effrayés, pour les calmer.

— Bonne idée. Reste où tu es, je vais en chercher.

Il partit en courant. Pendant ce temps, Laura observa la jument résolument collée contre la paroi. Elle était si maigre qu'on lui voyait les côtes. Elle portait les cicatrices d'une longe trop serrée sur la tête et sur les fanons.

— Doucement, murmura Laura. Personne ne te fera plus de mal.

Les oreilles de la jument s'agitèrent imperceptiblement.

Ted revint avec une petite boîte qu'il tendit à Laura.

— Vas-y, toi. Peut-être que je lui rappelle son ancien maître.

Laura prit une pincée de poudre grise, s'en frotta les paumes et s'avança doucement vers la jument, les yeux baissés.

Dancer recula nerveusement. Laura s'arrêta, tendit ses paumes et s'immobilisa.

Au bout d'un moment, la jument baie se retourna, hennit, ses naseaux se dilatèrent et elle tendit la tête pour respirer l'odeur. Laura attendit quelques secondes avant de poser doucement une main sur son cou. La jument commença à se détendre et Laura put la débarrasser du bout de longe restant.

— Bon travail, la félicita Ted.

À son tour, il se frotta les paumes avec la poudre de noisette et s'approcha de la jument. Après être restée un moment sur ses gardes, elle le laissa lui caresser le chanfrein.

— Brave fille, tu n'as pas eu la vie facile, hein ? murmura-t-il.

— Quand tu as soulevé son sabot, elle a dû croire que tu allais à nouveau la ligoter, supposa Laura.

— Ouais, faudra y aller en douceur avec elle.

— Comme toujours, dit-elle en lui souriant.

Que serait-elle devenue sans Ted ? Il connaissait parfaitement les chevaux et quand sa mère était morte, il avait assuré tout le travail. Ils avaient de la chance de l'avoir avec eux.

— Ta mère était étonnante, dit-il en refermant la boîte. Elle en savait tellement sur les chevaux. Je me demande si j'arriverai jamais à acquérir la moitié de ses connaissances.

Marion Fleming tenait ses recettes d'un vieux cavalier du Tennessee.

— Tu es déjà rudement calé, Ted, protesta Laura.

— Pas assez. J'ai beaucoup appris avec ta mère, mais je pense que si je l'avais connue plus longtemps, je serais plus performant avec les chevaux.

— Ne dis pas ça, Ted... Moi aussi, j'ai pensé la même chose quand Pegasus est tombé malade. Mais j'ai compris que si je ne savais pas tout, je devais faire de mon mieux. C'est ce que maman m'aurait expliqué.

— Ouais, tu as raison.

Ils se regardèrent et se turent un moment. Un bruit de pas se fit alors entendre.

— Hé ! Venez ! Il y a un camion et une remorque qui remontent la route !

Soraya s'arrêta devant le box et passa la tête par la porte.

— Et quand je dis « remorque », ce n'est pas n'importe laquelle !

— Ce doit être John, supposa Laura.

Le véhicule qui venait de se garer devant la maison était magnifique. Blanc, étincelant, orné de bandes noires portant les armoiries de Fairfield.

John Stillman sauta du camion. Il était grand, mince, et ne manquait pas d'allure.

— Salut ! lança-t-il.

Laura s'avança.

— Salut ! On s'est rencontrés quand j'ai soigné Promise, tu te souviens ? Tu connais aussi mon amie Soraya.

— Oui, dit-il avec un large sourire.

— Et voici Ted.

Ted lui tendit la main.

— Bienvenue à Heartland.

À cet instant, la porte s'ouvrit, et Lou sortit de la maison.

— Hello, John ! Je te verrai plus tard, je

pars en ville, expliqua-t-elle en s'avançant vers sa voiture.

Du van leur parvint alors un bruit de sabots.

— Je crois que Rainbow s'impatiente ! déclara John.

— Attends, je vais te donner un coup de main, dit Ted en le suivant.

John disparut à l'intérieur de la remorque. Ted abaissa la rampe. Peu après, un superbe étalon bai en descendit en faisant claquer ses sabots. Une fois en bas, il s'arrêta, regarda autour de lui et redressa la tête.

— Wooh... Il est super ! s'exclama Laura, fascinée.

— Rainbow est un étalon croisé hanovrien, précisa fièrement John.

Laura s'approcha, subjuguée par le port altier, les longues jambes musclées. Rainbow devait être un magnifique sauteur.

— Il a quel âge ?

— Six ans. Ma tante l'a acheté pour moi quand il en avait trois. Avoir une tante riche présente quelques avantages. Dans quelle stalle je peux le mettre ? s'enquit-il en se tournant vers Laura.

— Celle du fond. Elle est déjà prête.

John fit claquer sa langue. Rainbow le suivit et Laura leur emboîta le pas. Elle ouvrit la porte du box et demanda :

— Tu fais beaucoup de concours avec Rainbow ?

— Oui. Je l'ai présenté aux Prélim Jumper classes et il a gagné. Il va encore progresser jusqu'au top niveau, j'en suis sûr.

Laura fut surprise de son assurance.

— Bien, ajouta-t-il en quittant le box. Tu pourras me montrer les environs ?

Laura sauta sur l'occasion.

— Écoute, j'ai trop de travail, mais Soraya a davantage de temps libre, expliqua-t-elle, tandis qu'ils rejoignaient leurs compagnons.

L'intéressée se retourna.

— C'est bien mon nom que j'ai entendu ?

Laura lui décocha un regard complice.

— Oui, tu veux bien faire visiter la région à John ?

— Quand il veut !

— Merci, dit-il en souriant.

— En attendant, ça t'intéresse de voir les

chevaux que tu vas soigner ici ? reprit Laura.

— Heu... C'est que j'ai encore tout le matériel à sortir du camion, lâcha-t-il avant de bâiller. Ensuite, je dois repartir pour finir mes bagages.

— Oh... d'accord, balbutia-elle, déconcertée par ce manque de curiosité.

Laura, Ted et Soraya l'aidèrent à transporter couvertures, nourriture, selles, mors, brides dans la sellerie. Puis John monta dans le camion.

— Je serai de retour pour nourrir Rainbow ! lança-t-il en démarrant.

Lou fut de retour peu après.

— Il me semble avoir croisé John sur la route. Il est déjà parti ?

Laura inclina la tête.

— Dommage, je voulais l'inviter à dîner ce soir. Bon, je vais lui passer un coup de fil... Vous restez avec nous ? ajouta-t-elle en se tournant vers Soraya et Ted.

— Oui, merci, dit Ted.

— Manque de pot ! gémit Soraya. Je dois rentrer, c'est l'anniversaire de maman !

Lou fronça les sourcils.

— Quand même, c'est bizarre que John soit reparti si vite. Grand-père sera désolé de l'avoir manqué.

— Qu'est-ce que vous en pensez ? demanda Laura, lorsqu'ils se retrouvèrent seuls.

— Craquant ! s'écria Soraya.

— Et toi, Ted ?

— Il a l'air sympa.

— Et... quoi d'autre ?

— Rien. Je ne l'ai vu que cinq minutes, que veux-tu que je te dise ?

— Je me demande quand on le verra monter, il est taillé comme un athlète, lança Soraya, rêveuse.

— Oh, par pitié ! épargnez-moi vos commentaires, ironisa Ted, en les plantant là.

Elles le rejoignirent dans la sellerie encombrée par le matériel de John.

— Trois selles, rien que ça ! grommela Ted en commençant à faire un peu de rangement.

Laura admira le cuir souple et bien graissé.

— Oui, et de super-qualité, souligna-t-elle.

— J'aimerais rudement avoir une tante riche qui m'achète un cheval comme Rainbow, soupira Soraya.

— John est un petit veinard, conclut Ted.

« Peut-être pas », songea Laura en revoyant l'expression désabusée qu'elle avait lue dans les yeux du garçon. Il ne semblait pas si heureux que ça.

— Vous vous imaginez vivre à Fairfield ? laissa-t-elle échapper.

— Très bien ! grommela Ted.

Sa famille ne roulait pas sur l'or. Il avait quinze ans quand il avait commencé à travailler à mi-temps à Heartland pour aider ses parents. Plus tard, il avait quitté l'école pour un plein temps au centre.

— Tu sais pourquoi John a été élevé chez sa tante et non chez ses parents ? demanda Soraya.

— Je crois que ses parents ont divorcé quand il était tout petit... Peut-être que nous en apprendrons davantage ce soir.

— Dommage que je ne puisse pas rester, regretta Soraya. Tu me raconteras tout, hein ? Tâche de savoir s'il sort avec une fille.

— C'est surtout ça l'important, non ? ironisa Laura.

❀ 2 ❀

Laura et Ted s'apprêtaient à nourrir les chevaux lorsque John regagna Heartland.

Il balaya des yeux les bacs de métal, le sol dallé et les toiles d'araignée qui pendaient du plafond, et demanda :

— C'est ici que vous engrangez l'avoine ?

— Oui, prends ce dont tu as besoin pour ton cheval. Tu trouveras des seaux empilés dans le coin, répondit Ted en lui désignant l'emplacement.

— J'ai apporté les seaux de Rainbow. Ils sont restés dans la remorque.

Il revint quelques minutes plus tard avec deux seaux en acier frappés des armes de Fairfield et portant le nom de son étalon.

Puis, les remplissant d'avoine et de luzerne, il jeta un coup d'œil dans le placard.

— Super ! s'exclama-t-il en découvrant l'assortiment de remèdes rangés sur les étagères.

Herbes sèches, miel, bicarbonate de soude, vinaigre, huiles essentielles...

— ... Vous les ajoutez à leurs aliments ?

— Uniquement pour soigner les chevaux qui souffrent de traumatismes. Si tu veux, on pourra t'en expliquer l'usage, Ted et moi, quand on aura fini, proposa Laura.

— Bof... une autre fois, je vais voir Rainbow.

Il s'éclipsa. Laura fronça les sourcils.

— Il n'a pas l'air enthousiaste. Il est pourtant ici pour apprendre nos méthodes.

Les chevaux avaient dû voir John passer avec les seaux de nourriture car ils se mirent à piaffer.

— ... Faut y aller, sinon ils vont devenir dingues... Il aurait quand même pu nous donner un coup de main ! ajouta-t-elle, irritée.

Ted haussa les épaules.

— Je suis un peu de ton avis... Mais il

vient juste d'arriver. Il veut s'assurer que Rainbow est bien installé.

Laura n'insista pas.

À sept heures, Lou surgit dans la cour.

— Le dîner est presque prêt ! cria-t-elle.

Laura et Ted sortirent de l'écurie en même temps que John qui quittait, lui, le box de Rainbow.

— Il va bien ? s'informa Ted.

— Oui, super.

Une bonne odeur de bacon frit les accueillit dans la cuisine.

— Bonsoir ! Je suis Jack Bartlett, dit le grand-père de Laura et Lou en tendant la main à John.

— Ravi de vous connaître, répondit ce dernier.

Pendant que Ted et Laura dressaient le couvert et que Lou préparait les boissons, John s'approcha des photos qui ornaient les murs de la cuisine.

— C'est votre mère ? demanda-t-il à Laura, en désignant l'une d'elles.

— Oui. Cette photo a été prise lors d'un concours en Angleterre. C'est là que nous vivions.

— Pourquoi êtes-vous venues vous installer ici ?

— À cause de l'accident de papa.

— Ah, oui... Ma tante m'en a parlé. Ça lui est arrivé au cours d'une compétition de saut d'obstacles, n'est-ce pas ?

Laura hocha la tête. Son père montait Pegasus dans les concours. Le cheval était tombé, s'était brisé une jambe, son père avait été très gravement blessé.

— Qu'est devenu votre père après l'accident ?

— Il n'a pas supporté de ne plus faire d'équitation et il... il nous a abandonnées. C'est alors que maman a décidé de revenir vivre avec grand-père.

— Ce n'est pas vrai, Laura ! protesta Lou. Papa a écrit à maman pour revenir avec nous, et tu le sais très bien. Nous avons retrouvé sa lettre.

Laura détourna la tête. Quel choc elles avaient éprouvé en découvrant le courrier dans les affaires de Marion Fleming, après sa mort ! La jeune fille n'avait aucune envie d'en parler. Les yeux bleus de Lou lancèrent des éclairs.

— Si maman était restée en Angleterre, nous aurions peut-être eu la chance de former à nouveau une famille !

— C'est ce que tu dis ! Elle était censée faire quoi, maman ? Attendre que papa daigne revenir ?

— Oui !

— Laura ! Lou ! Ça suffit, coupa Jack. Il y a sans doute des détails que nous ignorons, il est inutile de juger vos parents.

Le silence se fit. Laura savait que sa sœur ne partageait pas son avis. Désespérée, Lou avait refusé de les suivre en Virginie. Elle était allée en pension, en Angleterre. Elle considérait que le retour de Laura et de Marion à Heartland avait été une trahison envers son père.

John se racla la gorge et rompit le silence :

— Donc, votre mère est revenue vivre ici...

— Oui, reprit plus doucement Laura. Et comme Pegasus avait été traumatisé, elle a commencé à s'intéresser à la médecine douce. Pegasus a guéri, et c'est ainsi qu'elle a eu l'idée de fonder Heartland, pour soigner d'autres chevaux.

— Elle n'a pas repris les compétitions ? s'enquit John.

— Non, son travail ici la passionnait beaucoup trop.

— Et toi, Laura, concourir ne te tente pas ?

— Parfois, si. Quand j'ai le temps, je présente Sundance, mon poney.

John se tourna vers Ted.

— Et toi ?

— Ça ne m'intéresse pas.

— Ah bon ?

— Quelques clients m'ont demandé de monter leur cheval à l'occasion d'un concours, mais ce n'est pas mon truc... Je préfère m'en occuper.

Laura lui jeta un regard reconnaissant. John écarquilla les yeux.

— Moi, ça ne me suffirait pas. Comment prouver que tu es bon cavalier si les gens ne te voient pas ?

— Ce que pensent les autres me laisse indifférent, répondit Ted en haussant les épaules.

Ils se regardèrent. L'atmosphère s'était tendue.

— Bon, les garçons, le dîner est prêt, annonça Jack.

Le plat de bacon agrémenté de haricots noirs balaya le malaise et Jack leva son verre.

— Je porte un toast à John ! Bienvenue à Heartland, j'espère que tu y seras heureux.

Les verres s'entrechoquèrent.

— À Heartland ! lança John avec un grand sourire.

Le lendemain, quand son réveil sonna à six heures du matin, Laura ne put s'empêcher de gémir. Mais les chevaux, eux, se souciaient peu qu'elle se soit couchée à minuit. Ils avaient faim.

Elle se leva péniblement, enfila un jean et un polo. Sans même brosser ses longs cheveux châtains, elle descendit à la cuisine pour chausser ses bottes.

En se dirigeant vers l'écurie, elle songea au dîner de la veille. John avait questionné Lou sur son ancien travail à Manhattan et avait interrogé leur grand-père sur sa ferme. De son côté, Laura avait pu glaner la

précieuse information qu'attendait Soraya :
il ne sortait avec aucune fille.

Ted vint la rejoindre une heure plus tard.

— Bonjour, marmonna-t-il, aussi endormi
qu'elle. Tu n'as pas vu John ?

— Non, il n'est pas encore arrivé.

Comme Ted, John était censé commencer
son travail à sept heures.

Une heure et demie plus tard, ils l'entendirent garer son camion dans la cour.

— Me voilà ! Belle journée, hein ? lança-
t-il, enthousiaste, et sans la moindre explication pour son retard.

— Oui... marmonna Laura.

Il dut sentir sa réserve, car il ajouta aussitôt :

— Désolé, j'ai eu une petite panne
d'oreiller... Tu ne m'en veux pas ?

Une petite panne d'une heure et demie ?

— Je vous aide ? suggéra John, visible-
ment gêné.

— Je vais t'expliquer le programme. Nous
commençons par nettoyer les stalles, balayer
la cour, puis nous pansons les chevaux, les
conduisons au manège jusqu'à l'heure du
déjeuner. Mais avant, je vais te les présenter.

— Donne-moi encore une minute, je file voir Rainbow.

Laura attendit patiemment que John ait fini de caresser son étalon. À en juger par les démonstrations d'amour que Rainbow lui prodiguait, il adorait son maître.

Quand John la rejoignit au bout de quelques minutes, elle lui présenta un Clydestale bai qui se trouvait dans le box à côté de celui de Rainbow.

— Voici Black. Il a vingt et un ans. Maman l'a trouvé dans une vente de chevaux. Il souffre d'arthrite et on ne peut plus le placer dans un nouveau foyer. Il est trop vieux et trop malade.

— Combien de chevaux y a-t-il ici ? s'informa John.

— Sept en pension et dix rescapés. Huit d'entre eux pourront être placés à nouveau. Deux restent ici en permanence. Mon poney, Sundance, et Black, dit-elle en posant un baiser sur ses naseaux. Ça me fait mal quand les autres repartent, on s'attache tellement à eux !

Elle se tourna vers John, mais il était déjà passé au box suivant.

— Elle, c'est Gipsy Queen, continua-t-elle en le rejoignant. Elle est soignée ici pour sa fâcheuse habitude de désarçonner son cavalier.

Laura s'apprêtait à lui raconter son histoire, mais John était déjà loin. Il sembla sortir de son indifférence quand elle l'entraîna dans le petit cagibi où sa mère rangeait ses livres de médecine, les herbes et huiles aromatiques utilisées pour traiter les maladies.

— C'est super, dit John. Mais pourquoi ne pas s'en tenir aux diagnostics médicaux ?

— On le fait, bien sûr. Mais Scott, le vétérinaire, partage notre point de vue. Les remèdes naturels complètent la médecine traditionnelle.

— Mmm... fit-il, sceptique.

— Nos méthodes fonctionnent. Nous avons guéri Promise, la jument de ta tante, alors que personne n'y était parvenu.

— Oui, c'est possible... lâcha-t-il du bout des lèvres, en se dirigeant vers la porte. Bon, et si j'allais donner un coup de main à Ted ?

— D'accord.

Décontenancée, Laura le regarda s'éloigner. John était censé apprendre les méthodes d'Heartland. Apparemment, cela ne l'intéressait pas du tout. « Alors à quoi bon ? » se dit Laura.

3

À l'heure du déjeuner, John alla chercher sa selle, le licol et la bride.

— Tu n'as pas faim ? s'exclama Laura.

— Je veux d'abord faire travailler Rainbow.

Laura attendit d'être dans la cuisine pour poser à Ted la question qui lui brûlait les lèvres.

— Qu'est-ce que tu en penses ?

— À part être arrivé avec une heure et demie de retard, en avoir pris deux autres pour traînailler dans l'écurie et ne montrer aucune curiosité pour ce que nous faisons, que veux-tu que je te dise ? répliqua-t-il froidement. Il a l'air d'adorer son cheval, c'est tout.

Dépitée, Laura décida de se préparer un sandwich. Elle jeta un coup d'œil au-dehors. John conduisait Rainbow au manège.

— On va voir comment il le monte ? proposa-t-elle, la bouche pleine.

Ted acquiesça. Ils emportèrent leur déjeuner et se dirigèrent vers le manège. Quand ils arrivèrent, Rainbow, lancé au petit galop, effectuait un numéro de voltige. Un huit parfait ! John avait une bonne assiette, le buste bien droit, la main ferme et légère pour diriger son cheval.

— Il monte rudement bien, chuchota Laura.

Conscient de leur présence, John amena son étalon devant la barre d'obstacle située au milieu du manège. Rainbow la franchit en souplesse. Puis, feignant de les apercevoir tout à coup, il poussa son cheval vers la barrière.

— Oh ! Vous êtes là ?

— Ton saut était parfait ! s'écria Laura.

— Merci, dit-il en flattant l'encolure de son cheval. Je pense que je vais l'emmener en balade. L'un de vous a-t-il envie de venir ? Vous pourrez me montrer les pistes.

— D'accord. Je vais seller Sundance, accepta Laura. Ted, tu nous accompagnes ?

— Non. Je dois faire travailler Solo, Charlie et Moochie en manège avant de les panser.

— Dans ce cas, je reste aussi, soupira Laura, se sentant coupable.

— Mais non, vas-y ! Sundance a besoin d'un peu d'exercice.

— Alors, c'est parti ! lança John. Je t'attends ici.

— Tu es sûr que ça ne t'ennuie pas, Ted ?

— Je vais me taper tout le travail, comme d'habitude ! la taquina-t-il.

— Tu as raison ! Moi, je ne fais rien... c'est bien connu ! renchérit-elle en entrant dans le jeu.

En fait, elle n'était pas à l'aise. Les écuries étaient pleines. Se distraire n'était pas tellement à l'ordre du jour.

Ted travaillait deux fois plus qu'elle, ne prenait aucun jour de congé et rentrait chez lui tard le soir. L'arrivée de John le soulagerait.

Elle alla chercher Sundance dans le pré

et le monta à cru. Cinq minutes plus tard, elle rejoignait John devant le manège.

— On y va ! lança-t-il.

Ensemble, ils s'engagèrent sur la petite route ombragée qui menait sur la colline surplombant Heartland. En haut, la vue était superbe.

— C'est vraiment magnifique, ici, déclara John.

— Les écuries de ta tante ne sont pas mal non plus. Tu as eu de la chance d'y grandir.

— Oui, sans doute, lâcha-t-il distraitement.

Il rassembla ses rênes et ils repartirent au petit trot en direction de Clairdale Ridge. Bientôt, Laura aperçut le tronc d'arbre qu'elle avait franchi la veille avec Soraya. Excité, Sundance partit au galop.

— L'obstacle est fiable ? demanda John.

— Oui, tu peux y aller.

Elle retint Sundance pour le laisser passer. John poussa son étalon mais, à quelques mètres, Rainbow pila net : son cavalier faillit vider les étriers. John serra les dents et ramena l'étalon devant l'obstacle.

— Vas-y ! gronda-t-il.

Rainbow fit un second refus.

— Je crois qu'il a peur ! s'exclama Laura.

— Il doit apprendre à obéir ! aboya John.

— Ne le force pas. Si tu veux, je vais faire sauter Sundance en premier et il suivra.

John l'ignora, enfonça ses talons dans les flancs de l'animal et abattit sa cravache sur les épaules massives. Rainbow franchit l'obstacle et atterrit de l'autre côté.

— Brave garçon ! Tu as vu ça, Laura ? Il a obéi ! pavoisa-t-il en flattant l'encolure de sa monture.

Laura resta sans voix. Il aurait dû s'y prendre autrement ! Elle ravala ses reproches. John aimait sûrement son cheval, mais elle préférait la méthode douce de sa mère.

— Tu sais, il n'y a pas que la force pour faire obéir un cheval, dit-elle seulement.

Laura claqua la langue et fit galoper Sundance en cercle.

— Tu ne le fais pas sauter ? C'est trop haut pour lui ? s'écria John, surpris.

Pour toute réponse, elle dirigea Sundance vers l'obstacle. Il s'envola, les oreilles dressées, et retomba en souplesse de l'autre côté.

— Pas mal pour un poney ! s'exclama John.

— Il a déjà décroché trois rubans dans des concours. J'aimerais faire davantage de compétitions avec lui.

— Tu devrais. Il a un bel avenir.

— Je le sais. Il y a pas mal de gens qui voudraient l'acheter, mais ça, pas question !

— Je te comprends, dit John en caressant son cheval. Quel que soit le prix qu'on m'offrira, je ne vendrai jamais Rainbow.

À ces mots, Laura sentit remonter son estime pour lui. Ils continuèrent leur balade, et John reprit :

— Je dois le présenter à un concours dans un mois. J'espère qu'il va progresser cet hiver, afin que je puisse sérieusement m'occuper de lui l'été prochain.

Il jeta un coup d'œil à Laura.

— Pourquoi tu ne viendrais pas avec moi pour présenter Sundance ? Ma remorque peut contenir jusqu'à trois chevaux.

Laura hocha la tête.

— J'aimerais bien, mais je ne peux pas m'éloigner longtemps, j'ai trop de travail.

— Dommage !

— Heartland est plus important que les compétitions.

— Pour moi, rien n'est plus important que concourir, dit-il d'un ton décidé.

Puis il raccourcit ses rênes et se redressa sur sa selle.

— On fait la course ? Le premier qui arrivera au bout du chemin !

— D'accord ! accepta Laura, enthousiaste.

 *4*

— Allons panser les chevaux, maintenant ! lança Laura quand ils furent de retour de leur balade.

— Donne-moi cinq minutes pour brosser Rainbow, et j'arrive, promit John.

Mais le brossage dura une heure.

— Par quoi je commence ? demanda-t-il en revenant.

Il ne restait plus que trois chevaux à soigner.

— Si ce n'est pas trop pour toi, occupe-toi de Black et de Sugarfoot, répondit-elle, agacée.

John partit chercher le matériel, et fit un détour par le box de Dancer que pansait Laura.

— Oh... la belle petite jument ! fit-il.

Avant qu'elle ait pu le retenir, il approcha brusquement pour la caresser. La réaction de Dancer fut immédiate : elle tenta de le mordre.

— Hé ! rugit-il en la frappant sur l'épaule.

— Non ! cria Laura.

Terrorisée, Dancer se cabra. Laura n'eut que le temps de pousser John dehors.

— Tu es stupide ou quoi ? Dancer est suffisamment peureuse comme ça ! Qu'est-ce qui t'a pris ?

— Mais elle a essayé de me mordre !

— Possible, mais on ne frappe jamais les chevaux, ici !

— Ah ! bravo ! Voilà une drôle de façon de leur apprendre le respect !

— Ce n'est pas en les frappant qu'on y arrive ! Tout particulièrement Dancer qui a été maltraitée ! gronda Laura.

— Qu'est-ce que vous faites, alors ? ironisa-t-il.

— On gagne leur confiance, figure-toi. Tu as vu les cicatrices sur sa tête ? J'aimerais bien savoir comment tu réagirais à sa place ?

— Oui... bon... je n'avais pas compris, balbutia John, un peu honteux.

Laura ravala sa colère.

— Tâche de t'en souvenir la prochaine fois.

— D'accord. Qu'est-ce que tu vas faire maintenant ? demanda-t-il en entendant Dancer ruer dans son box.

— Je vais aller la voir, dit-elle.

Dancer lui jeta un regard furibond lorsqu'elle entra dans la stalle.

— Tout doux... Je ne vais pas te faire de mal... murmura Laura.

Elle sortit de sa poche une petite boîte qui contenait de la poudre de menthe. Elle en mit une pincée dans sa main et la tendit à la jument. Après quelques instants d'hésitation, Dancer renifla sa paume et ses muscles se détendirent. La jeune fille put enfin l'approcher : elle posa la main sur sa tête pour la masser avec des petits mouvements circulaires, comme le faisait sa mère.

Au bout d'un moment, Dancer s'apaisa et hennit doucement.

— Étonnant que ce massage ait réussi à la calmer, dit John, perplexe.

— Ce n'est pas vraiment un massage. Cela fait partie de la thérapie que nous appliquons.

John fronça les sourcils.

— Ça fonctionne peut-être avec Dancer, mais pour un cheval normal comme Rainbow, la fermeté est plus efficace.

— À quoi bon, quand on peut obtenir la même chose avec la douceur ?

John haussa les épaules.

— Ne t'inquiète pas, je respecterai les règles de Heartland. Et maintenant, je m'occupe de Sugarfoot.

Laura commença à étriller Dancer tout en se demandant ce qu'elle allait bien pouvoir faire de John Stillman. Il était à la fois sceptique, paresseux, horripilant et... sympa.

À cinq heures, elle retrouva Ted, qui rentrait du manège avec Moochie. Ensemble, ils remplirent les mangeoires.

— Tous les chevaux ont été sortis ? demanda-t-elle.

— Oui. À nous trois, on rangera rapidement la sellerie.

Mais à cet instant, John surgit en coup de vent :

— J'ai terminé mon boulot, je peux m'en aller ?

— T'en aller ? s'exclama Laura. Les chevaux n'ont pas encore été nourris !

— Mais mon travail s'arrête à cinq heures, lâcha-t-il, un peu surpris.

Laura était stupéfaite.

— Moi, je reste jusqu'à ce que tout soit fini, souligna Ted.

— Bon, alors, j'en ferai autant. Quel est le programme ? demanda John pour montrer sa bonne volonté.

— Si tu veux bien nous aider à remplir les seaux des chevaux, on gagnera du temps, répondit Laura, soulagée qu'il n'ait pas pris la mouche.

— Pas de problème.

Ils achevèrent leur tâche en silence, mais quand tout fut terminé, John déclara :

— Bien, maintenant, je file.

Cette fois, Laura ne lui rappela pas que la sellerie devait être rangée avant.

— Qu'est-ce que tu penses de ça, Ted ?

marmonna-t-elle quand John monta dans son camion.

— Je pense que dans les écuries de sa tante, le personnel est assez nombreux pour que chacun puisse partir à l'heure.

Laura songea au domaine de Lisa Stillman, avec son armée de palefreniers.

— C'est un sacré changement pour lui.

Ted la regarda, pensif :

— Tu crois vraiment qu'il va tenir ici ?

— Laissons-lui le temps de s'habituer, répondit-elle.

Mais, le lendemain matin, John était de nouveau en retard. Il n'était pas encore arrivé lorsque Laura rentra se changer pour se rendre au collège. En semaine, c'était toujours la bousculade. Elle prit une douche en deux minutes, passa des vêtements propres, dégringola l'escalier et enfila ses baskets qui traînaient dans la cuisine.

— Hé ! Pas de petit déjeuner ? protesta son grand-père.

— Je n'ai pas le temps, je vais louper le car, dit-elle en jetant son sac à dos en travers de l'épaule.

Lou fronça les sourcils.

— Tu ne crois pas que tu pourrais t'organiser un peu mieux, Laura ?

Elle préféra ne pas répondre, prit le petit pain que son grand-père lui tendait et fila. Elle attrapa l'autocar au vol et se laissa tomber, essoufflée, sur la banquette, à côté de Soraya.

— Vite, raconte ! s'écria son amie.

— John n'est pas vraiment du genre ponctuel ! Il est arrivé deux fois en retard en deux jours...

— ... Tandis que toi, tu es toujours à l'heure ! l'interrompit Soraya en rigolant. Passons aux choses sérieuses : John, il sort avec une fille ?

— Non. Tu es satisfaite ?

— Tu parles ! Comment ça se passe à Heartland avec lui ?

Laura remarqua que la fille assise devant elles ne perdait pas une miette de leur conversation.

— Qui est-ce ? chuchota-t-elle en la désignant.

— Je ne sais pas.

— Une nouvelle ?

L'inconnue se retourna. Elle avait un visage souriant et de courts cheveux bruns.

— Salut ! lui lança Laura.

— Oh... salut ! balbutia-t-elle en rougissant.

— Tu es arrivée ici récemment ?

— Oui, je m'appelle Claire Whitely.

— Tu es d'où ? demanda Soraya.

— De Philadelphie. Nous sommes venues ici parce que maman a changé de travail.

Soraya fit les présentations, puis ajouta gentiment :

— Si tu as besoin de renseignements au sujet du collège, nous sommes là.

— Merci... Désolée, je n'ai pas pu faire autrement que d'entendre ce que vous disiez. Laura... tu vis à Heartland ?

— Oui.

Claire ouvrit de grands yeux.

— Ça alors ! J'ai lu un article sur Heartland dans *La vie des chevaux*.

— Tu montes, toi aussi ?

— Oui. Papa vient justement de m'ame-

50

ner mon cheval. Mes parents sont divorcés, et mon père est reparti en Europe. Mon étalon s'appelle Flint.

— Un étalon ? Cool ! s'écria Soraya.

— C'est un cadeau de papa pour me consoler de son départ. Flint est super !... Vous... vous aimeriez venir le voir aujourd'hui après la classe ?

— Ça oui ! s'écria Laura.

— Moi aussi, renchérit Soraya.

Les yeux bleus de Claire pétillèrent.

— Vraiment ? Super !

— Dans quelle écurie est-il ? s'informa Laura.

— Yellow Sun. Tu connais ?

Laura et Soraya se regardèrent. Elles ne la connaissaient que trop bien !

L'écurie de Yellow Sun baignait dans l'opulence. Spécialisée dans le dressage des poneys, elle était dirigée par Valery Gorst qui voulait avant tout décrocher des prix dans les concours d'obstacles. Angela, sa fille, était dans la même classe que Soraya et Laura. Mais leurs relations s'arrêtaient là.

— Vous venez cet après-midi ? demanda Claire, excitée.

— D'accord, répondit Laura, après un moment d'hésitation.

— C'est super, dit Claire.

Ses yeux brillaient de plaisir.

5

À l'heure du déjeuner, Soraya téléphona à sa mère pour lui demander de les conduire à Yellow Sun. Quant à Laura, elle eut du mal à se concentrer pendant les cours. Elle avait hâte de rentrer à la maison pour savoir comment John et Ted s'en tiraient.

— À tout à l'heure ! lança-t-elle en descendant du car.

— Tchao ! répliquèrent en chœur Soraya et Claire.

Laura remonta rapidement la route qui menait à Heartland. Quand elle arriva, Ted sortait de la sellerie.

— Ça s'est bien passé ? demanda-t-elle.

— C'était un peu agité, mais tous les chevaux ont travaillé, sauf Ivy et Solo.

— Je vais m'en occuper. Avant, ça t'ennuierait si je faisais un saut à Yellow Sun ?

Ted écarquilla les yeux.

— Qu'est-ce que tu vas faire là-bas ?

Laura lui raconta.

— Promis, je ne serai pas longue, conclut-elle.

— Pas de problème. J'espère juste que John m'aidera à balayer la cour quand il aura fini de monter Rainbow.

Monter Rainbow alors qu'il y avait encore tant à faire avec les chevaux !

— Il l'a déjà monté ce matin pendant une heure, ajouta Ted. Tu ne trouves pas que c'est un peu trop pour un jeune cheval ?

— John compte le présenter à un concours de saut d'obstacles le mois prochain. Le monter deux fois par jour n'est pas catastrophique.

— C'est vrai. Surtout si on l'entraîne une fois à la barre, et la seconde en balade.

Laura hocha la tête. Ted avait raison.

— Cela dit, il aurait pu m'aider un peu plus, ajouta-t-il.

— Je lui en parlerai.

Laura alla se changer. En sortant de la maison, elle aperçut John qui revenait du manège. Elle se dirigea vers lui. Que dire pour commencer ? Souligner le travail excessif qu'il imposait à Rainbow ? Ou celui qu'il ne faisait pas à Heartland ? C'était délicat. Sa tante payait pour qu'il travaille ici. Elle se jeta à l'eau :

— Je crois que Ted a besoin de toi pour balayer la cour.

— J'y vais, dit John, mais d'abord je dois bouchonner Rainbow.

— Ne sois pas trop long quand même !

John parut surpris du ton de sa voix. La conversation s'arrêta là. La voiture de Mme Martin entrait dans la cour. Il était l'heure de partir pour Yellow Sun rejoindre Claire.

— Oh ! salut, John ! lança Soraya en ouvrant la portière.

— Salut, dit-il en souriant.

Laura ne lui laissa pas le temps de parler davantage. Elle salua la mère de Soraya et s'assit près de son amie.

— Non, mais tu as vu son sourire ? roucoula Soraya.

— Je croyais que tu venais à Heartland pour les chevaux ? ironisa sa mère.

— Absolument ! protesta-t-elle en donnant un coup de coude à Laura.

Claire les attendait sur le parking de Yellow Sun.

— Flint est dans cette stalle, dit-elle en désignant la vaste écurie ultramoderne située au fond d'une cour impeccable.

Ensemble, les filles passèrent rapidement devant le manège principal dans lequel Valery Gorst dirigeait une reprise.

— Yvonne ! À quoi croyez-vous que sert une cravache ? s'énervait Valery Gorst. À caresser votre jument ?

Laura et Soraya se dépêchèrent.

— Le voici ! lança Claire lorsqu'elles arrivèrent devant le box.

Laura s'approcha. Flint était un magnifique cheval, avec des jambes fines, un port de tête altier. Elle se tourna vers Claire.

— Tu vas le monter tout de suite ?

Claire hésita :

— Heu... je ne sais pas trop.

— Pourquoi ? insista Soraya. Va vite chercher la selle et la bride. On t'attend ici.

Claire obtempéra. Laura lui ouvrit la porte du box. Mais à peine Claire s'était-elle avancée que Flint reculait. Ses oreilles se couchèrent en arrière et il se mit à piaffer.

— Il est toujours comme ça ? demanda Soraya.

— Souvent, murmura Claire. Au début, ça allait, mais maintenant, il me faut bien vingt minutes avant de poser la selle sur son dos.

— Vingt minutes ! s'exclama Laura.

— Et encore, je ne suis pas sûre d'y parvenir, bredouilla Claire, rouge comme une pivoine.

« Le cheval profite-t-il du manque d'expérience de sa cavalière ? » se demanda Laura.

— Tu veux me laisser faire ? suggéra-t-elle.

Claire lui tendit la bride avec gratitude. Ignorant l'attitude hostile de l'étalon, Laura lui caressa la tête, le saisit par la crinière pour qu'il ne puisse s'échapper et passa les rênes par-dessus sa tête. Flint ne broncha pas.

— Je crois qu'il te mène en bateau, dit-elle en riant.

Elle le sella, serra par deux fois les sangles pour que la selle ne tourne pas, et tendit les rênes à Claire.

— Allons dans le petit manège, proposa cette dernière.

Les deux amies la suivirent. Un instant plus tard, Claire enfourchait sa monture. Elle avait une bonne assiette, mais elle restait tendue et crispée.

— Elle manque de confiance et le cheval le sent, murmura Laura.

Claire lui fit effectuer quelques tours de piste au trot, puis le ramena devant la barrière.

— Il est super, hein ? lança-t-elle fièrement.

— Oui, mais il semble un peu nerveux, souligna Soraya.

— Ce cheval a besoin d'une cavalière qui sache monter ! lança alors une voix pointue.

Laura se retourna. La fille de Valery Gorst, Angela, se tenait derrière elles, les bras croisés sur la poitrine, ses cheveux platine savamment bouclés rejetés en arrière.

— Je te l'ai déjà dit, reprit-elle en s'adressant à Claire. Ce n'est pas un cheval pour une débutante comme toi. Si tu veux, je peux le monter à ta place.

— Merci, mais il en a fait assez pour aujourd'hui, riposta Claire en mettant pied à terre.

Angela éclata d'un rire narquois et se tourna vers Laura :

— Alors, comment vont les affaires à Heartland ?

— Très bien, rétorqua froidement Laura. Nos stalles sont pleines et nous avons engagé un nouveau palefrenier.

— Pas possible ? Qu'est-ce qui est arrivé à Ted ?

— Rien. Il va très bien.

— Ah oui ? Profitez-en, car vous ne le garderez pas longtemps. Comme le dit maman, il mérite une meilleure place.

Laura tressaillit. Où voulait-elle en venir ?

— Oui, mais voilà, il n'y tient pas, riposta-t-elle.

— Je n'en serais pas si sûre, persifla Angela. Sait-il que nous cherchons un nouveau maître palefrenier ?

Cette fois, Laura se mit à rire.

— Désolée, mais Ted n'est pas du genre à travailler à Yellow Sun.

— Tu rigoles ? Trois manèges, un parcours de cross, trois écuries, un personnel efficace et des chevaux superbes ! Comparé à votre cour minable, une seule écurie, deux minuscules manèges et des chevaux au rancart dont personne ne veut, Ted serait au paradis !

Ces mots firent mal à Laura. Et si Ted... acceptait ?

— Ted ne viendra jamais ici !

— Tu crois ça ? Maman est prête à payer une fortune pour avoir un garçon comme lui. Tu sais quoi ? Je vais lui suggérer de lui passer un coup de fil.

Cette fois, Laura explosa :

— Dis-lui plutôt de ne pas perdre son temps, Ted ne quittera jamais Heartland !

Angela la regarda avec un sourire mauvais et ajouta lentement :

— Tu paries ?

6

Mme Martin et Soraya déposèrent Laura à Heartland. Cette dernière enrageait toujours. Il était évident que Lou ne pourrait jamais rivaliser avec le salaire qu'offrirait Valery Gorst... Mais non, c'était ridicule. Ted adorait Heartland et ne les quitterait jamais.

En traversant la cour, elle aperçut John qui sortait Rainbow de son box. Laura se rappela qu'elle avait des comptes à régler avec lui. Elle s'avança et flatta l'encolure de Rainbow.

— Il est en superforme, dit-elle.

— Ça oui, je l'ai monté deux fois aujourd'hui.

61

— Ce n'est pas un peu trop pour un jeune cheval ?

— Non, si je veux qu'il parvienne au top niveau.

— Ted pense que tu ne devrais pas le faire travailler trop en manège.

Une lueur irritée traversa le regard de John.

— Ted ? Qu'est-ce qu'il en sait ? Il n'a jamais fait de compétitions !

— Oui, mais il s'y connaît...

— Eh bien, je n'ai pas besoin de lui pour veiller sur Rainbow. Je sais ce que j'ai à faire !

Laura capitula. Elle n'était pas d'humeur à se disputer. Elle se dirigea vers l'écurie pour donner à boire aux chevaux, mais à cet instant, le téléphone sonna.

— J'y vais ! cria Ted.

Cinq minutes plus tard, il était de retour, avec un sourire jusqu'aux oreilles.

— C'était qui ? demanda Laura.

— Tu ne devineras jamais ! C'était Valery Gorst ! Elle m'a demandé de travailler à Yellow Sun !

Laura le regarda, effondrée.

— Rassure-toi ! s'exclama-t-il en éclatant de rire. Elle a eu beau m'offrir deux fois le salaire que j'ai ici pour diriger les palefreniers, je n'ai pas dit oui... Peut-être devrais-je y réfléchir, ajouta-t-il d'un ton amusé.

— Ted !

— ... J'aurais la chance de voyager, de me faire un nom, ce ne serait pas si mal, hein ? la taquina-t-il.

— Toi ? Travailler avec Valery Gorst ?

— Tu as raison, l'argent n'est pas tout, conclut-il, sérieusement cette fois.

Ouf !

— Comment ça se passe avec John ? demanda Jack au cours du dîner.

Laura ne sut quoi répondre.

— Il y a un problème, Laura ?

— Non... Ça va, balbutia-t-elle.

Jack fronça les sourcils.

— On dirait que tu es réticente.

— Bof... Il a seulement des idées un peu différentes des nôtres, mais ça s'arrangera.

La sonnerie du téléphone fit diversion. Laura décrocha l'appareil.

— C'est Scott ! lança-t-elle. Il veut te parler, Lou !

— À moi ? balbutia sa sœur en rougissant.

Elle prit le combiné. Jack et Laura échangèrent un regard amusé.

— ... Scott va lui proposer un rendez-vous, chuchota-t-elle.

Jack Bartlett parut tout à fait ravi. Ces derniers mois, Lou avait rompu avec son petit ami. Bien que ses relations soient devenues amicales avec le jeune vétérinaire, c'était la première fois qu'il l'appelait.

— Alors ? demanda Laura quand sa sœur eut raccroché.

Lou feignit l'indifférence.

— Rien de spécial...

— Mais encore ?

— Il m'a invitée à sortir samedi soir, lâcha Lou.

— Super ! Vous allez vraiment bien ensemble !

— Hé ! On se calme, conclut Lou en riant.

Mais la petite lueur qui brillait dans ses yeux bleus en disait beaucoup plus long.

Le lendemain, dans le car qui les emmenait au collège, Laura s'empressa d'annoncer la nouvelle à Soraya et à Matt, le frère cadet de Scott.

— Cool, déclara-t-il. Mais... tu ne crois pas qu'on pourrait en profiter pour fixer un second rendez-vous ?

— Entre qui et qui ? le taquina Laura.

— Toi et moi, évidemment.

Ce n'était un secret pour personne : Matt aurait aimé sortir avec elle. Mais, quoiqu'il soit séduisant, Laura n'y tenait pas tellement.

— Un autre jour, répondit-elle gentiment.

— Rejeté une fois de plus, soupira-t-il en prenant un ton dramatique. Au fait, c'était qui la fille avec qui vous parliez, hier ?

— Claire Whitely, répondit Laura.

— Nous avons été voir Flint, son étalon, qui est en pension à Yellow Sun, ajouta Soraya.

Matt grimaça.

— Elle arrive à s'entendre avec Angela ?

— Pas vraiment, gloussa Laura. Hier, elle s'est fait mordre !

— Angela mord tout le monde !

— Claire devra lui tenir tête si elle laisse Flint à Yellow Sun.

— C'est déjà pénible de supporter Angela au collège, mais quelle tuile de l'avoir sur le dos à l'extérieur aussi ! renchérit Soraya. D'autant que Claire a l'air un peu triste...

Effectivement, assise à l'avant du car, la jeune fille semblait perdue dans ses pensées.

Quand ils arrivèrent au collège, Laura s'approcha de Claire.

— Salut, comment ça va ?

— Ça va... Aïe ! laissa-t-elle échapper lorsque, bousculée par Matt et ses copains, un sac à dos heurta son épaule.

— Qu'est-ce que tu as ? demanda Soraya.

Claire se mordit les lèvres, à deux doigts de pleurer.

— C'est mon bras, dit-elle en relevant la manche de son sweat-shirt.

Une trace de morsure ornée d'une large ecchymose s'étalait, en effet, sur son avant-bras.

— Qu'est-ce qui t'est arrivé ? s'exclama Soraya.

— C'est Flint. Il m'a mordue, hier soir.

— Ta mère le sait ? demanda Laura, inquiète.

— Non... Le pire, c'est qu'elle veut que je monte cet après-midi, et si Flint montre encore les dents, elle ne voudra pas que je le garde... Maman m'a déjà dit cent fois que j'étais trop inexpérimentée pour avoir un étalon.

— Peut-être que Laura pourrait faire quelque chose. Elle sait s'y prendre avec les chevaux agressifs, proposa Soraya.

Laura hésita :

— Si Flint reste à Yellow Sun, je ne pourrai rien faire du tout. Valery Gorst piquerait sa crise si je m'en occupais.

Puis, devant l'air misérable de Claire, elle ajouta :

— En revanche, je peux te donner quelques conseils, t'aider à seller Flint ce soir, et rassurer ta mère...

— Merci, dit doucement Claire. Je voudrais tellement pouvoir le garder.

— Alors, c'est d'accord. Je viendrai après la classe.

De retour à Heartland, Laura n'eut pas de mal à convaincre son grand-père de la conduire à Yellow Sun.

— Je te reprends dans une heure, annonça-t-il après l'avoir déposée devant les écuries.

Claire l'attendait avec impatience.

— Oh, merci !... Maman va arriver dans une demi-heure. On a juste le temps de seller Flint ! Je te préviens, il se conduit comme un sauvage !

Claire avait déjà déposé la selle et la bride devant la stalle. Quand elle ouvrit la porte, Flint releva violemment la tête et coucha ses oreilles. Elle n'avait pas fait deux pas, que l'étalon montrait déjà les dents.

— Ça suffit ! lança fermement Laura en s'approchant du cheval.

Ce ton dut le surprendre, car il changea d'attitude. Il se laissa flatter l'encolure, la tête et les naseaux, et ne broncha plus.

Laura songea à ce que disait sa mère : « Chaque cheval a sa personnalité. » Celui-ci était sans conteste intelligent, mais pourvu d'un fichu caractère.

Laura le laissa se calmer puis, au bout

d'un moment, elle lui passa la bride et sangla la selle sans problème.

— Comment ça se fait qu'il soit aussi doux avec toi ? gémit Claire.

— Parce qu'il faut se montrer ferme. Bon, allons-y, ta mère ne va pas tarder.

Elles conduisirent l'étalon dans le petit manège adjacent. Dès que Claire mit le pied à l'étrier, Flint s'agita.

— Reste tranquille ! lança Claire d'une voix peureuse.

Elle s'empara nerveusement des rênes. Flint fit un écart, mais daigna malgré tout faire un tour de piste au pas.

Claire le mit au trot. Tout se passa bien jusqu'au moment où Flint aperçut les barres d'obstacle empilées derrière la barrière. Surpris, il fit un bond. Une rêne échappa des mains de Claire. Elle voulut la rattraper, ce qui exaspéra l'animal. Flint baissa la tête et se mit à ruer.

— Vite, reprends-la, et raccourcis les rênes ! cria Laura qui se tenait près de la barrière.

Mais Claire avait déjà beaucoup de mal à rester en selle. Lorsque Flint plongea pour la deuxième fois, elle lâcha la seconde rêne et se retrouva sur son cou. La troisième ruade l'envoya en l'air et elle atterrit sur le sol.

— Claire ! cria Laura en enjambant la barrière.

Sa voix fut couverte par un cri de terreur.

— Oh, mon Dieu ! Claire !

Une femme, les cheveux longs flottant sur les épaules, s'avança en courant.

Assise par terre, Claire leva vers sa mère un regard misérable.

❦ 7 ❦

— Tu n'as rien de cassé ? demanda Laura en se précipitant vers Claire.

— Non... Je ne crois pas, répondit-elle, les yeux rivés sur sa mère.

— Ne t'inquiète pas pour Flint, je m'en charge, chuchota Laura.

— Tout va bien, maman, bredouilla Claire en se relevant.

Imperturbable, Flint broutait paisiblement un carré d'herbe à l'autre bout du manège. Il frissonna lorsqu'il vit arriver Laura.

— Viens, bonhomme, dit-elle en sortant de sa poche les pastilles de menthe dont se régalait Sundance.

Les naseaux de Flint frémirent. Mais

l'odeur dut lui plaire, car il s'avança et posa sur elle son regard intelligent.

Laura le caressa. Elle l'aimait bien en dépit de son sale caractère.

— Tu n'aurais pas dû faire ça... Tu vas avoir des ennuis !

Elle claqua la langue et il la suivit.

— Ton père a été fou de t'offrir un cheval pareil ! Il est dangereux ! gémissait Mme Whitely.

— Mais non ! Il est seulement un peu vif ! protesta Claire.

— Vif ? Il a failli te rompre le cou !

— Dis-lui qu'il n'est pas méchant ! supplia Claire en se tournant vers Laura.

— C'est vrai... Je suis Laura Fleming, ma sœur et moi dirigeons à Heartland un refuge pour les chevaux difficiles.

Mme Whitely l'écoutait distraitement.

— ... Oui, je m'en souviens... Claire m'en a parlé... Mais, ma chérie, je ne peux pas te laisser monter un cheval qui désarçonne son cavalier ! Je n'en dormirais pas de la nuit !

— Voyons, maman...

— Écoutez, je crois vraiment qu'il n'est pas dangereux. Il suffirait que Claire prenne quelques leçons d'équitation pour apprendre à se montrer plus ferme avec lui.

— Dans ce cas, je pourrais demander à Valery Gorst si elle peut s'en charger, suggéra Mme Whitely, à contrecœur.

— Non ! s'écria sa fille. C'est à cause d'elle que Flint m'a mordue ! Je veux Laura !

— Tu n'y penses pas ! C'est impossible tant que Flint sera ici !

— Alors, on n'a qu'à le mettre à Heartland !

— Tu n'as pas l'impression de décider un peu à la va-vite ?

— Non, pourquoi ? Je déteste Yellow Sun ! Angela se conduit comme un pit-bull, et Flint obéit parfaitement à Laura... Dis, tu veux bien ? ajouta-t-elle en se tournant vers cette dernière.

— C'est que... toutes les stalles sont occupées...

Mais devant l'air désespéré de Claire, elle réfléchit à toute allure.

— Eh bien... je crois qu'on peut laisser mon poney au pré pour quelques semaines. Flint pourra prendre sa place.

Mme Whitely sentit la situation lui échapper.

— Oui... C'est très aimable à vous, cependant...

— Dis oui, maman ! trépigna Claire.

— Bon... C'est d'accord. Donnons une seconde chance à ce cheval. Mais s'il est toujours aussi hargneux dans un mois, nous nous en séparerons.

— Il aura changé, je te le promets ! assura Claire.

En revenant à Heartland, Laura avertit tout de suite son grand-père et Lou. Tous deux pensaient aussi que Sundance pouvait prolonger son séjour au paddock.

— Tu en as parlé à Ted ? demanda Lou.

— Pas encore. Où est-il ?

— Dans la sellerie, je suppose.

Laura s'y rendit et le trouva occupé à nettoyer une selle.

— C'est une bonne idée, admit-il, lorsqu'elle l'eut mis au courant. Mais je pense qu'un mois ne suffira pas pour dresser ce cheval.

— Tu te trompes, il file doux avec moi.

— Avec toi, peut-être, parce que tu as de l'expérience, mais...

— On verra bien... Où est John ? s'enquit-elle en remarquant son absence, une fois de plus.

— Devine, grommela Ted.

— Avec Rainbow ?

— Gagné. Il le fait travailler au manège pour la deuxième fois... Si je lui demande de faire quelque chose, il le fait. Mais si je ne dis rien, il se contente de tourner dans la sellerie ou autour du box de son cheval. J'aime encore mieux faire le boulot que de perdre mon temps à lui courir après.

— Tu veux que je lui parle ?

Ted haussa les épaules.

— Il ne t'écoutera pas... Il vaudrait mieux que ce soit Lou.

— Laisse-moi essayer d'abord.

— Eh bien, bonne chance ! ironisa Ted.

Quand Laura arriva au manège, elle trouva John qui s'obstinait à faire sauter son cheval. L'animal était en sueur, et lorsque son cavalier le dirigea à nouveau sur l'obstacle, il ne faisait aucun doute que Rainbow était épuisé. D'ailleurs, il ne bougea pas.

— Non ! aboya John en tirant sur les rênes.

Il lui fit effectuer un autre tour de piste, pressa les mollets et Rainbow protesta en encensant violemment.

— Laisse-le souffler ! s'écria Laura.

John la gratifia d'un regard furibond.

— Il doit apprendre à obéir ! Le concours a lieu dans trois semaines !

— Il n'apprendra rien du tout, si tu le stresses.

— Ce n'est pas à moi de capituler ! fit-il en raccourcissant les rênes.

Il ramena à nouveau le cheval devant l'obstacle qui fut enfin franchi.

— Bravo, mon garçon ! dit-il, brusquement radouci. Il ne faut jamais céder à un cheval. Maintenant, je vais l'emmener en balade.

Sans un mot, Laura lui ouvrit la barrière. John était loin d'admettre qu'il obtiendrait beaucoup plus de son cheval en le laissant travailler par plaisir.

— Alors, tu lui as parlé ? s'informa Ted quand elle vint le retrouver dans la sellerie.

— Non.

— J'aimerais bien qu'il me donne un coup de main.

— N'y compte pas, il est parti en promenade avec Rainbow.

— Bon sang ! Il fait quoi ici, hormis dresser son cheval ? Il y a la cour à balayer, les mangeoires à nettoyer ! Quand va-t-il s'y mettre ? explosa Ted.

— Calme-toi... c'est promis, je lui parlerai sérieusement dès qu'il reviendra.

Laura était en train de rassembler la paille dans la cour, quand John revint.

— C'est du boulot, hein ? dit-il.

— Il faut bien que quelqu'un le fasse ! lâcha-t-elle en rejetant en arrière ses cheveux trempés de sueur.

— Qu'est-ce que tu as encore ?

Le ton monta :

— John, tu te fiches de moi ? Tu es censé nous seconder, Ted et moi, mais tu passes tout ton temps avec Rainbow !

— Faux ! Aujourd'hui, j'ai aidé Ted à nettoyer six stalles et à nourrir les chevaux !

— Six ? Et les autres ? Tu as pansé les chevaux ? Tu les as fait sortir ?

— Est-ce que tu insinues que je ne fais pas mon travail ?

— Oui !

— C'est bon. Je ne monterai plus Rainbow dans la journée, je le ferai après en avoir terminé ici.

— Super !

John serra les dents et ramena Rainbow à l'écurie.

— Qu'est-ce qui se passe ? On vous entend hurler jusqu'ici ! bougonna Ted qui sortait de la grange.

— Ted... Pitié, n'en rajoute pas...

Néanmoins, Laura finit par éprouver des remords : elle alla rejoindre John dans le box de Rainbow.

— Écoute, je ne voulais pas te blesser. J'aimerais juste que tu nous aides un peu plus, d'accord ?

— Oui. J'ai pigé, marmonna-t-il, vexé.

— Autre chose, quand ton cheval est énervé, pourquoi tu ne mélanges pas un peu de miel à sa nourriture ?

— Il n'a pas besoin d'être calmé, il doit seulement apprendre la discipline.

— Tu parles ! Il était crevé quand tu l'as forcé à sauter le dernier obstacle.

— Je fais ce qui me plaît avec mon cheval !

— Même s'il est stressé ? Ne sois pas buté, John. Un petit supplément de miel dans sa nourriture ne lui ferait pas de mal.

— Pas question de lui donner cette cochonnerie !

— Cochonnerie ?

— Tout le monde sait que ça ne sert à rien. Tu peux en filer aux autres chevaux, mais Rainbow est un cheval normal.

Et comme il voyait que Laura digérait mal le mot « cochonnerie », il conclut, comme par défi :

— Sache aussi que je n'ai pas demandé à venir ici et encore moins à apprendre vos méthodes !

Qu'il aille au diable ! pensa Laura.

Pas question que John dénigre les précieux remèdes de sa mère. Elle se rua vers la grange, furieuse.

— Encore un problème ? soupira Ted.

— Tu ne croiras jamais ce qu'il vient de me sortir !

Elle lui répéta ses paroles.

— Il a vraiment dit ça ? balbutia Ted.

— Oui ! Il se fiche de ce qu'on fait ici ! Je déteste la façon dont il traite les chevaux ! J'en ai ras le bol ! Et puisqu'il n'est pas content d'être à Heartland, je vais demander à Lou de le flanquer dehors !

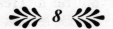

8

Lou faisait ses comptes dans la cuisine quand Laura fit irruption.

— Je peux te parler un instant ?

— Oui, qu'est-ce qui se passe ?... Attends une seconde, dit-elle en décrochant le téléphone qui sonnait au même instant.

Laura rongea son frein.

— ... Allô, Lisa ?... Lou à l'appareil.

Lisa Stillman avait bien choisi son moment pour appeler !

— ... Oui, John s'est adapté à Heartland... Il va bien... Aucun problème... Pourquoi en aurait-il ?

Laura lui fit de grands signes mais Lou ne la regardait pas. Son visage s'était assombri. Que lui racontait donc Lisa ? Ça n'en finissait plus !

— ... Je comprends, vous avez bien fait de me prévenir... Je garderai tout ça pour moi, vous avez ma parole... Pauvre John... conclut Lou, avant de raccrocher.

— Qu'est-ce qu'elle t'a dit ? s'impatienta Laura.

— Tu m'as entendue, j'ai promis de rester discrète !

— Vas-y ! Je garde tout pour moi.

Lou hésita :

— Tu me le promets ?

— Parole d'honneur !

— Bon, il vaut peut-être mieux que tu sois au courant. John a eu une enfance difficile et il a eu quelques problèmes dans le passé.

— Lesquels ? Continue, la pressa Laura.

— Il avait dix ans quand ses parents ont divorcé : il en a été traumatisé. Il ne voit plus son père. Il a commencé à faire l'école buissonnière et sa mère a pensé l'envoyer chez sa tante à Fairfield. John en a déduit que sa mère l'avait abandonné. Au début, il a eu du mal à s'adapter, jusqu'au moment où il s'est découvert une passion pour les chevaux. Mais en le plaçant à Heartland, Lisa craint qu'il ne s'imagine qu'elle aussi cherche à se débarrasser de lui.

— Ça alors, ce serait moche...

— Voilà pourquoi il est important qu'il se sente bien ici. C'est le cas, non ?

— Heu... nous avons quelques problèmes avec lui.

— Hier soir, tu nous as dit l'inverse.

— Je pensais alors que John allait s'adapter... mais les choses ont empiré.

Laura lui rapporta leur dispute.

— Je vois... murmura Lou. Mais après ce que je viens de te confier, tu tiens toujours à ce qu'on le renvoie ?

Laura hésita.

— Non, ça change tout...

— Écoute, Laura, tu sais mieux que quiconque ce qu'on ressent quand un père s'enfuit et qu'on grandit sans lui. John a vécu exactement la même chose. Il est possible qu'il soit blessé d'avoir été placé ici. Peut-être pourrions-nous lui donner sa chance ?

— Ce n'est pas tout à fait pareil pour lui ! John a encore sa mère ! lança Laura, amère.

— Oui, mais tu as été entourée par l'amour de maman et de grand-père. Je voudrais bien savoir comment tu aurais réagi si maman t'avait envoyée au loin ?

La jeune fille ne répondit pas.

— Tu veux bien faire un effort, Laura ? Je suis sûre que Heartland peut être bénéfique pour John.

— Bon, d'accord... J'essaierai de me montrer plus compréhensive.

— Merci, Laura. N'oublie pas ta promesse. N'en parle à personne et surtout pas à John.

— C'est entendu, je n'en parlerai qu'à Ted.

— Non, pas un mot à Ted. Je mettrai grand-père au courant, mais ça ne doit pas sortir de la famille.

— Mais voyons ! Je n'ai aucun secret pour Ted ! Il ne va pas comprendre pourquoi on garde John !

— Explique-lui que je lui laisse un peu de temps pour s'habituer. Il sait déjà que

nous sommes liés par un engagement finan-
cier avec Lisa.

— Ça ne va pas être facile, mais je ne
dirai rien, soupira Laura.

Lou ajouta en souriant :

— Nous soignons bien les chevaux à
Heartland, alors, pourquoi pas les gens ?

Ted donnait à boire aux chevaux quand
Laura revint dans l'écurie.

— Alors, qu'est-ce que Lou a décidé ?

— De donner une seconde chance à
John, répondit-elle, mal à l'aise.

— Mais il ne tient pas à rester à Heartland ! Elle le sait ?

— Elle espère qu'il s'habituera.

— Toi aussi, tu penses ça ! maugréa-t-il
en fronçant les sourcils.

— Pour une fois, peut-être que Lou a raison.

Ted la regarda, incrédule.

— Toi, te ranger à son avis ! C'est un
scoop !

— Écoute, Lisa nous a amené des clients,
elle mérite bien qu'on fasse quelques efforts,
non ? ajouta-t-elle très vite.

Ted se rembrunit et n'ajouta rien.

Laura s'éloigna. Dissimuler la vérité à Ted la rendait malade. Ils étaient si proches ! Elle se dirigea vers les paddocks. John, tenant Black et Solo par les longes, se débattait avec la barrière.

— Je peux t'aider ? lui demanda-t-elle.

— Ça oui ! Merci.

Il lui tendit la longe de Solo et elle la prit sans oser croiser son regard.

— Écoute... commença-t-elle.

— Laura... dit-il en même temps.

Ils s'arrêtèrent.

— Toi la première.

— Je voulais juste te dire que je regrettais notre dispute.

— Idem pour moi. J'ai mal réagi. Vous avez été super avec moi et je n'ai été qu'un poids... Mais je tiens tellement à Rainbow que j'en oublie tout le reste.

— On n'en parle plus, d'accord ?

— ... J'étais furieux après Rainbow au manège, mais je n'aurais pas dû te parler ainsi... Si j'avais été palefrenier chez ma tante, elle m'aurait flanqué à la porte, continua-t-il.

— Rassure-toi, cela ne t'arrivera pas ici, balbutia Laura, confuse.

Pendant qu'ils ramenaient les chevaux à l'écurie, John lança :

— Maman m'a appelé aujourd'hui. Elle veut assister à la compétition. Je ne la vois pas souvent, tu sais...

Il disait ça d'un ton indifférent, mais les coins de sa bouche tremblaient un peu.

— Maman a mal supporté le divorce. Elle m'a envoyé chez tante Lisa quand j'avais douze ans. C'était provisoire, mais c'est vite devenu permanent...

— Elle a déjà assisté à une de tes compétitions ? demanda Laura.

— Non... Ce sera la première fois.

Laura sentit son cœur se serrer.

— C'est pour ça que tu veux gagner à tout prix.

— De toute façon, je gagnerai, répondit-il en se redressant, et je me fiche de ce qu'elle pense.

Laura se tut. Une minute plus tôt, elle l'avait vu attendrissant, vulnérable et plein de tendresse. Il avait bien vite retrouvé son expression obstinée.

En conduisant Solo dans sa stalle, elle se demanda si le garçon était vraiment sincère. Sûrement pas. Il était évident qu'il tenait à sa mère et qu'il aspirait à ce qu'elle soit fière de lui. Était-ce pour ça qu'il se montrait si intransigeant avec Rainbow ?

Pauvre John. Lou avait raison. Les blessures de son enfance étaient encore vives. La cicatrisation exigerait du temps.

Pendant quelques jours, John fit de réels efforts pour se rendre utile. Mais apprendre les méthodes appliquées à Heartland, c'était une autre histoire ! Il regardait faire Ted et Laura d'un œil indifférent.

Le samedi, Jack alla chercher Flint à Yellow Sun. Lorsque Laura aperçut le camion et la remorque dans la cour, elle abandonna son travail pour aller au-devant de lui.

— Ça s'est bien passé ? demanda-t-elle quand son grand-père descendit du camion.

— Un peu difficile. Flint n'a pas laissé Claire le faire monter dans la remorque et il a bien fallu que je m'en mêle.

— Heureusement que tu étais là, merci, grand-père !

— Ton amie est tellement inexpérimentée... Tu crois vraiment que tu vas réussir ?

— Oui, j'en suis sûre.

Il regarda sa petite-fille avec tendresse et tristesse à la fois.

— Comme tu ressembles à ta mère ! Elle aurait dit la même chose.

Pendant un moment, l'émotion submergea Laura. L'arrivée de Mme Whitely et de Claire fit diversion.

— Waouh ! Heartland est exactement comme dans le magazine ! s'écria Claire en sautant de voiture.

— Je suis contente que tu aimes.

— Hé ! les filles, vous feriez mieux de m'aider à faire descendre le cheval ! lança Jack Bartlett en abaissant la rampe.

Laura s'avança et Claire la suivit. Mais, dès que Flint l'aperçut, il montra des signes de nervosité.

Claire battit en retraite.

— Je m'en occupe, dit vivement Laura.

Ted et John s'approchèrent.

— Beau cheval, approuva John en regardant descendre Flint.

— Oui, magnifique ! renchérit Ted.

Claire fit un nouvel essai. Les sabots de Flint raclèrent aussitôt le sol.

— Fais attention, Claire ! cria sa mère.

— C'est parce que tout est nouveau pour lui, expliqua Laura en emmenant Flint.

— Voulez-vous un café ? proposa Jack.

Au grand soulagement de Laura, Mme Whitely accepta. Si Flint recommençait à faire des siennes, autant qu'elle ne soit pas là !

— Comment tu le trouves ? demanda-t-elle à Ted.

— Je ne pense pas qu'il soit agressif de nature.

— Tu plaisantes ? Tu as vu comment il s'est conduit ? s'exclama John.

Ted lui jeta un regard exaspéré.

— Il suffit d'étudier la morphologie de sa tête pour voir qu'il est intelligent, nerveux, mais pas vicieux.

Laura sourit. Elle aurait dit la même chose.

John n'en fut pas impressionné.

Claire se montra fascinée par la conversation.

— C'est vrai qu'on peut deviner le caractère d'un cheval en observant sa tête ?

— En partie, répondit Laura. Les yeux, leur écartement, la forme de la bouche, les oreilles, le port de tête, l'encolure fournissent de nombreux renseignements sur lui.

— Alors, qu'est-ce que je peux faire pour que Flint cesse de me mordre ?

— Gagner sa confiance. N'est-ce pas, Ted ?

— Affirmatif, dit-il en souriant.

À cet instant, Mme Whitely sortit de la maison et s'avança vers eux.

— Claire, tu rentres avec moi ?

Claire interrogea Laura du regard.

— Oui, vas-y, décida la jeune fille. Nous allons installer Flint et tu viendras le voir demain, d'accord ?

— Eh bien, à demain... Bye-bye, Flint, ajouta-t-elle en regardant son cheval.

L'étalon garda ses distances et l'ignora.

Lorsqu'elles furent parties, Ted hocha la tête.

— Ça promet ! Ça ne va pas être facile.

— Là, je suis d'accord ! renchérit John.

Claire ne saura jamais maîtriser un étalon pareil. Je ne vois vraiment pas pourquoi vous vous compliquez la vie !

Ted se retourna, furieux.

— Toi, peut-être ! Nous, c'est autre chose !

— Ça veut dire quoi ? demanda John, étonné par la hargne du palefrenier.

— Inutile de t'expliquer ! Tu es à des années-lumière de ce qu'on fait ici !

Laura tenta de s'interposer.

— Ted...

Mais c'était reparti pour un tour :

— ... Je suppose que tu n'as jamais eu à te battre pour obtenir quelque chose, John ! Mais Claire a confiance en nous et elle veut garder son cheval ! Ici, on aide les chevaux, mais aussi leurs maîtres ! Évidemment, ce n'est pas ton genre !

À ces mots, il tourna les talons et s'éloigna à grandes enjambées.

Et John resta planté là, sidéré.

— Qu'est-ce qui lui prend ? Qu'est-ce que j'ai dit de mal ?

« Cette fois, pas grand-chose », songea Laura. Mais Ted avait perdu patience ; il ne comprenait toujours pas pourquoi son amie se montrait tout à coup bienveillante avec John.

Cette promesse était vraiment difficile à tenir !

— Ne t'en fais pas, ça ira. Ted a travaillé tard hier soir et il est crevé, dit-elle pour mettre un terme à la discussion.

Elle acheva de nettoyer les stalles et partit à la recherche de Ted en espérant qu'il s'était calmé.

Elle le trouva dans le manège, en train de faire travailler Moochie à la longe. Quand il l'aperçut, il s'avança vers la barrière.

— Désolé pour tout à l'heure, Laura. Mais pour qui il se prend, ce type ? Il m'a vraiment échauffé les oreilles.

— Ça, tu vois, je m'en suis aperçue, répondit-elle en riant. Écoute, John et moi, on va sortir Solo et Gipsy... Tu viens avec nous ?

— Non, merci... Mais je te trouve bizarre. Il y a quelques jours, tu voulais le renvoyer, et maintenant, tu le protèges ?

— J'essaie seulement de le mettre à l'aise

et de le laisser s'adapter... Allez, ne fais pas cette tête et viens. Ce serait amusant.

— Je n'ai aucune envie de perdre mon temps avec lui.

À son tour, Laura se sentit désemparée, avec, en prime, l'impression de trahir Ted.

— Bon, à tout à l'heure, dit-elle en s'éloignant.

Ted ne répondit pas.

Vingt minutes plus tard, John et Laura galopaient sur la piste bordée d'herbes grasses. John montait Gipsy.

— On passe au trot ? lança-t-elle.

John acquiesça, caressa l'encolure de la jument. Ensemble, ils continuèrent leur balade côte à côte.

— Gipsy se conduit bien avec toi, souligna Laura.

— C'est un bon cheval. Ses maîtres songent-ils à la présenter à un concours ?

— Ils font surtout du dressage. Mais je suppose qu'ils aimeraient la faire concourir quand elle cessera de faire des écarts. Elle n'a que cinq ans.

— Comment vous vous y êtes pris pour l'amadouer ?

— En lui attachant un mannequin sur le dos et en la laissant essayer de s'en débarrasser... jusqu'à ce qu'elle comprenne qu'elle n'y parviendrait pas.

Laura jeta un bref coup d'œil à John et ajouta :

— Et, bien sûr, on lui fait suivre un régime à base d'herbes médicinales et d'huile de lavande pour la calmer.

John lui décocha un sourire taquin.

— Je parie que tu as déjà étudié sa morphologie !

— Mais oui ! À la façon dont ses naseaux étroits frémissent, tu peux être sûr qu'elle est entêtée et volontaire. Aussi, nous lui apprenons à coopérer avec les gens plutôt qu'à leur résister.

— Tu y crois vraiment ?

— Oui. J'y crois.

— Et que penses-tu de Rainbow ? Vas-y, je t'écoute ! la provoqua-t-il.

— Il a un large front, une grande bouche, un menton plat, tout ça suggère qu'il est intelligent et apte à apprendre. Mais que...

— Continue.

— ... Il a surtout besoin de compréhen-

96

sion et de douceur. Si tu le pousses trop, tu perdras sa confiance. Tu es d'accord ?

— C'est possible... Seulement, comment puis-je savoir si tu as découvert tout ça en observant sa tête ou en le voyant au manège ?

— Ça n'a aucune importance. C'est le résultat qui compte !

— La cravache aussi, lâcha-t-il en flattant l'encolure de Gipsy.

Laura préféra faire comme si elle n'avait rien entendu.

— On pique un galop ? proposa-t-elle.

❧❧ 10 ❧❧

Après le déjeuner, Laura se rendit dans le box de Flint, avec l'intention de le faire travailler à la longe. Elle voulait s'assurer qu'il en avait l'habitude.

— Je l'emmène au manège, dit-elle à Ted.

Flint se colla aussitôt à la paroi.

— On ne peut vraiment pas dire qu'il soit très amical, ajouta-t-elle.

— Il a peut-être un problème affectif ? Tu connais son histoire ? demanda Ted.

— Non. J'interrogerai Claire, demain.

Elle le sortit pourtant sans problème et prit la chambrière. Sa mère lui avait appris à la laisser traîner sur le sol juste devant le cheval, afin de l'inciter à la suivre.

Laura se plaça au milieu du manège, donna du mou à la longe : elle comprit vite que Flint avait déjà travaillé ainsi. Il obéit, marcha, trotta et galopa autour de la piste.

Au bout de dix minutes, Laura décida de passer à un autre exercice.

Elle avait besoin d'un assistant et, comme John se tenait derrière la barrière et la regardait travailler, elle l'appela :

— Tu peux venir un instant ?

John hésita, puis vint la rejoindre.

— Je vais lui apprendre à obéir à la voix. Je voudrais que tu restes près de lui, et lorsque je lui dirai : « Tourne », que tu l'encourages à changer de sens.

Laura claqua la langue et Flint partit au trot. Puis, sur son ordre, il s'exécuta sans problème à plusieurs reprises.

— À quoi ça sert de faire ça ? demanda John.

— C'est un premier pas vers un travail libre. Ça permet d'établir une relation entre le cheval et son maître.

Progressivement, John s'éloigna du cheval, jusqu'à ce que ce dernier finisse par obéir uniquement à la voix de Laura.

— C'est assez pour aujourd'hui, décida-t-elle, satisfaite à la fois de Flint et de l'aide apportée par John.

Il était peut-être sceptique quant à leurs méthodes, mais il se révélait un bon assistant.

— Merci, lui dit-elle.

Ted était dans la stalle de Dancer quand elle ramena Flint à l'écurie.

— Ça s'est bien passé ?

— Super. J'ai demandé à John de me seconder.

— T'as demandé à... John ? s'exclama Ted.

La mine sombre, il s'éloigna. Laura conduisit Flint dans son box. Quand elle sortit de l'écurie, Ted l'attendait dehors, les bras croisés sur la poitrine.

— Tu peux me dire pourquoi tu es si patiente avec ce type ?

Laura prit le parti de rire.

— Écoute, je ne comprends vraiment pas ce qui se passe, continua Ted. Tu es tout le temps avec John ! Pourquoi ? Tu n'es pas si patiente, d'habitude !

— Lou me l'a demandé.

— C'est encore moins ton habitude d'obéir à Lou ! lâcha-t-il, sarcastique. Tu ne peux pas m'en dire un peu plus ?

Non, elle ne pouvait pas et, pourtant, elle aurait bien aimé lui expliquer.

— Tu sais bien que je fais des efforts pour suivre les conseils de Lou. Quant à John, pourquoi ne pas lui donner une seconde chance ? Tu ne pourrais pas le laisser souffler un peu ?

Ted fut blessé par sa réponse : son visage se ferma, il tourna les talons, sans un mot.

Une explication s'imposait. Elle le rattrapa.

— Bon, tu as raison, il y a autre chose !

— Quoi ?

Laura se mordit la lèvre.

— Je n'ai pas le droit de te le dire.

— À moi, ton ami ? De mieux en mieux !

— Je l'ai promis à Lou...

— Je vois, lâcha-t-il froidement.

— Tu dois me croire, Ted ! explosa-t-elle, impuissante. Essaie de me comprendre !

Il posa sur elle un regard glacial.

— Non, Laura, je ne te comprends plus

du tout... Tu as changé... Et maintenant, on en reste là, je n'ai pas que ça à faire.

Laura se sentit misérable. Bien sûr que Ted lui en voulait ! Quand il avait commencé à travailler à plein temps à Heartland, sa mère s'était fait un point d'honneur de le mettre au courant de tout. Après sa mort, Ted s'était conduit comme un membre de la famille, il s'était battu avec eux pour conserver Heartland. Et voilà que, désormais, elle avait le sentiment d'avoir brisé les liens qui les unissaient.

C'était bien la dernière chose qu'elle voulait. Elle avait donné sa parole à Lou afin que la vie de John ne soit pas étalée au grand jour. Mais Ted aurait compris la situation, s'il avait connu la vérité ! Le tenir à l'écart était injuste, ringard et imbécile.

❊❊❊ 11 ❊❊❊

Lou se préparait à sortir avec Scott, lorsque Laura entra dans sa chambre, le visage sombre.

— Un problème ? demanda Lou.

— Ted. Je crois que je devrais tout lui dire au sujet de John.

— Je suis désolée, mon chou. Je n'aurais jamais dû te mettre dans cette position, mais je dois respecter ma promesse.

Laura ne répondit pas. À la place de John, elle n'aurait pas davantage apprécié qu'on colporte des bruits sur sa vie privée.

— Je ne vois pas d'autre solution, ajouta Lou.

— Bon... tant pis.

— Tu sais, si tu as besoin de me parler, je serai toujours là pour toi, Laura.

— Oui, je sais... À quelle heure Scott doit passer te prendre ?

— D'une minute à l'autre.

Elle n'avait pas fini sa phrase que la voiture de Scott se garait devant la maison. Lou mit une dernière touche à son maquillage, et elles descendirent.

— Salut, Laura ! lança Scott. Oh ! Lou, vous êtes ravissante !

Rougissante, Lou alla vite chercher son manteau pour cacher son trouble.

— Amusez-vous bien, les enfants ! lança Laura, taquine, lorsqu'ils s'éloignèrent.

— Compte sur nous ! riposta Scott en riant.

Le dimanche, à deux heures du matin, Laura fut réveillée par le claquement d'une portière. À l'évidence, les choses allaient bien entre Lou et Scott !

Quand elle se leva, quelques heures plus tard, la maison était silencieuse. Aucun signe de Lou. Ted et John étaient en congé. Mais quelle ne fut sa surprise de trouver

Ted à l'écurie ! Ils nourrirent les chevaux en silence, puis Ted lança d'un ton monocorde :

— Je m'occupe des stalles.

Laura ne broncha pas.

Un instant plus tard, elle aperçut Lou qui sortait de la maison et alla au-devant d'elle.

— Alors, c'était bien ? lança Laura, impatiente.

— Merveilleux, on n'a pas arrêté de parler.

— Tu vas le revoir bientôt ?

— Peut-être...

— Quand ?

— Ce soir, lâcha Lou en éclatant de rire.

Laura se détendit. Enfin, une bonne nouvelle !

Claire arriva dans la matinée et Laura l'entraîna aussitôt dans le box de Flint.

Mais, dès qu'il aperçut Claire, ses oreilles se couchèrent à nouveau.

— Non, Flint ! cria Laura. Claire, approche-toi et caresse-le.

Elle maintint Flint par le licol.

— Tout d'abord, je vais te montrer comment le masser légèrement sur le front puis sur le cou, en petits mouvements circulaires. Plus tu le feras doucement, plus il se relaxera.

Claire obtempéra prudemment. Au bout d'un moment, Flint se radoucit et Laura put lâcher le licol. Elles le conduisirent ensuite au manège où Laura le fit galoper à la longe et obéir à la voix.

— À ton tour, Claire ! Viens prendre ma place ! lança-t-elle.

— Tu crois... ? Il me semble un peu nerveux.

— Mais non, tout se passera bien.

Claire la rejoignit et prit la longe que lui tendait Laura.

Derrière la barrière, elle vit Claire hésiter.

— Au pas ! finit-elle par dire.

Flint ne bougea pas.

— Au pas, répéta-t-elle.

Les sabots de Flint raclèrent le sol et ses oreilles s'agitèrent.

— Il ne veut pas bouger ! gémit Claire en s'emparant de la chambrière.

La réaction fut immédiate. Flint fit volte-face et s'avança vers elle. Claire fit un pas en arrière, son pied se prit dans la longe et elle tomba en poussant un cri.

Surpris, Flint s'arrêta et se mit à hennir.

— Non ! hurla Claire en plongeant son visage dans ses mains.

Laura avait déjà enjambé la barrière.

— Doucement, dit-elle en retenant le cheval par la bride. Claire, ça va ?

— Oui, mais j'ai cru qu'il allait m'attaquer, avoua-t-elle en se relevant.

— Tu l'as seulement surpris. C'est pour cela qu'il a henni. Bon, tu veux que je le fasse encore travailler un peu ?

Claire acquiesça avec un soulagement évident.

Au bout d'un moment, Laura jugea préférable de ne pas insister.

— Ramenons-le dans son box. On recommencera demain, décida-t-elle.

— Ouf ! laissa échapper Claire, en lui emboîtant le pas.

— Tu connais un peu son passé ? s'informa Laura.

— Je sais seulement qu'il a été élevé par une femme qui l'a vendu quand il avait cinq ans. Après, je crois qu'il a eu trois propriétaires, en moins d'un an.

— Dans ce cas, on peut comprendre qu'il ait été perturbé par tous ces changements.

— Je n'y avais pas pensé, mais tu as sûrement raison. Je... je suis bien placée pour savoir ce qu'il ressent.

— Qu'est-ce que tu veux dire ?

— Eh bien, quand mes parents se sont séparés, maman a changé si souvent de métier que nous n'avons pas cessé de déménager. Nouveaux collèges, nouveaux amis, et jamais la même maison.

— Ça n'a pas dû être facile pour toi.

— J'ai fait avec. Mais je crois que maman va se plaire ici. Et puis, comme la maison de mon père n'est pas très loin, quand il reviendra d'Europe, je pourrai le voir plus souvent.

— On va calmer ton cheval. Je vais le soigner avec des plantes et des huiles essentielles, histoire de l'apaiser, conclut Laura.

John débarqua à l'heure du déjeuner.

— Ce n'est pas ton jour de congé ? s'écria Laura.

— Si, mais je dois faire travailler Rainbow. Après, je vous filerai un coup de main, je n'ai rien d'autre à faire. Maman a téléphoné hier soir, continua John en la suivant dans l'écurie. Pour une fois, elle ne s'est pas décommandée et elle a promis d'être là pour le concours. J'ai intérêt à entraîner mon cheval.

Un instant plus tard, il était au manège.

Laura travaillait dans la sellerie lorsque Ted fit irruption, le visage en feu.

— J'en ai ras le bol ! Y a des limites ! explosa-t-il.

— Des limites à quoi ? Qu'est-ce qui se passe encore ?

— Viens plutôt voir comment cet abruti traite son cheval !

Il sortit en coup de vent, Laura sur ses talons.

— Ted ! Attends !

Il n'en fit rien. Elle le rejoignit devant le manège dans lequel John faisait galoper Rainbow. L'étalon était en sueur, un peu de bave blanchissait sa bouche et il commençait à rouler des yeux fous. L'animal était éreinté et John l'amenait malgré tout devant l'obstacle.

— Tu as déjà eu affaire à un tel inconscient ? rugit Ted. Moi, je ne peux pas voir ça !

— Écoute, Ted, c'est à cause de sa compétition...

— Ah ! Te voilà d'accord avec lui ?

— Bien sûr que non, mais qu'est-ce qu'on peut faire ? C'est son cheval !

Ted serra les dents.

— Oui, mais il le monte à Heartland !... Si tu ne lui dis rien, Laura, je m'en charge !

— Ne fais pas d'histoire, par pitié !

Trop tard. Ted avait déjà enjambé la barrière.

— John ! Est-ce que tu te rends compte de l'état de Rainbow ?

John arrêta sa monture.

— Qu'est-ce que tu racontes ? balbutia ce dernier, ahuri.

— Tu es devenu dingue ou quoi ? Tu as regardé ton cheval ?

— Je ne veux pas qu'il renâcle devant l'obstacle !

— Rien d'étonnant à ça ! Il est épuisé !

— Qu'est-ce que tu en sais ? rugit John.

— Je sais qu'un cheval éreinté n'est plus en mesure d'apprendre quoi que ce soit ! Tu es vraiment un crétin !

— Merci pour ton avis, mais je n'en ai rien à faire ! déclara John en enfonçant ses talons dans les flancs de Rainbow pour le remettre au galop.

— Ted... Laisse tomber, veux-tu ? intervint Laura.

— Laisser tomber ?... Je ne te reconnais plus, Laura, lâcha-t-il, méprisant. Autrefois, tu n'aurais pas admis qu'un cheval soit maltraité à Heartland... Tu as vraiment changé !

Il avait raison, mais que répondre ? Laura resta muette.

Ted soutint son regard pendant quelques secondes, puis il l'écarta de son chemin et s'éloigna à grandes enjambées.

❧❧ 12 ❧❧

Toute la journée, Ted évita Laura. Le soir, au lieu de s'attarder comme d'habitude, il partit aussitôt après avoir nourri les chevaux.

— Quelle mouche l'a piqué ? grommela John en regardant la voiture de Ted s'éloigner sur la route.

Laura haussa les épaules.

— Il était juste de mauvaise humeur, aujourd'hui.

— Si tu veux mon avis, c'est permanent chez lui !

— Ne dis pas ça, tu ne le connais pas !

— J'en sais assez sur lui, merci !

Excédée, Laura tourna les talons. John la rattrapa.

— Je suis désolé. C'est que je voudrais bien qu'il me lâche les baskets avec mon cheval.

— Il s'inquiète pour lui et c'est normal qu'il te donne des conseils.

— Est-ce que tu insinues que je me fiche de Rainbow ?

— Pas vraiment, mais...

— Rainbow est ce qu'il y a de plus important dans ma vie. Pour rien au monde je ne voudrais lui faire du mal !

— Même cet après-midi ?

— Écoute, vous avez vos techniques, j'ai les miennes. Et je ne suis pas le seul à les appliquer.

Laura respira un bon coup. À quoi bon discuter ? Il s'obstinerait davantage.

Les jours suivants, l'atmosphère demeura pesante. Ted faisait son possible pour éviter John et se montrait froid et distant avec Laura. Pour se changer les idées, elle fit beaucoup travailler Flint.

Claire venait tous les jours après la classe. Elle commençait à prendre confiance en elle, continuait à effectuer les légers massages qui relaxaient son cheval, mais sitôt dans le manège, plus rien n'allait.

Claire se crispait. Flint en profitait-il ? Au bout d'un moment, elle capitulait.

« Ce n'est pas dramatique, se disait Laura. Avec un peu de patience, Flint finira par accepter de travailler avec Claire. Il est intelligent. » Aussi Laura passa-t-elle encore plus de temps avec lui pour l'habituer à obéir à la voix.

Le vendredi suivant, comme elle s'avançait vers l'écurie, Flint flaira sa présence et se mit à hennir doucement. Cette marque de tendresse la fit fondre.

— Salut, bonhomme ! dit-elle en entrant dans la stalle.

— On dirait qu'il devient plus sociable, marmonna Ted qui sortait Dancer de son box.

— Oui, hein ? Tu l'as entendu hennir ?

— En effet, répondit-il en fronçant les sourcils.

— Qu'est-ce qu'il y a... ?

— C'est avec Claire qu'il devrait faire équipe, pas avec toi.

— Mmm... Je sais.

— Dans ce cas, pourquoi le fais-tu travailler tous les jours ?

— Parce que Claire a encore peur. Aussi, je la laisse l'amadouer dans son box.

— Elle n'aura jamais confiance en elle si tu le dresses à sa place.

— Mais dès qu'elle commence à le faire travailler au manège, Flint devient hargneux ! Je pense à lui, rien de plus !

— Tu n'es pas censée penser à Claire ? riposta-t-il. Ou bien tu l'as oubliée, elle aussi ?

Laura n'avait absolument pas oublié et Ted n'avait rien à lui rappeler !

— Je te signale que je suis là pour le soigner et prendre les décisions !

— Tiens donc, je croyais qu'on les prenait ensemble ? fit Ted.

Elle se mordit la lèvre et regretta aussitôt ses paroles.

— Je ne voulais pas dire ça...

— Si, et tu l'as fait !

Claire arriva à cet instant précis et sentit qu'il y avait de l'électricité dans l'air.

— Salut ! Tu vas bien, Ted ?

118

— Oui merci, répliqua-t-il brièvement, en s'efforçant de sourire.

— J'ai une faveur à vous demander, continua-t-elle en les regardant tous les deux.

— Vas-y toujours, dit Ted.

— Eh bien, j'étais si pressée de conduire Flint à Heartland que j'ai oublié trois plaids à Yellow Sun. Je n'ai pas envie d'y retourner et d'affronter Angela... Et j'espérais...

Ted termina sa phrase :

— ... que l'un de nous irait les chercher avec toi.

— C'est ça.

— Si tu veux. Nous pouvons prendre ma voiture, proposa Ted.

— Je peux venir avec vous ? demanda Laura. Je vous protégerai d'Angela, ajouta-t-elle en riant.

Ted ne parut pas enchanté et Claire bavarda tout au long du trajet pour détendre l'atmosphère.

Quand ils atteignirent Yellow Sun, ils ne virent ni Valery Gorst ni Angela.

— Je vais chercher les couvertures avec Claire, dit Laura. On en a pour cinq minutes.

Elles filèrent vers la sellerie et, au retour, Claire jubilait.

— Génial ! On n'a vu personne !

— Ne parle pas trop vite, grommela Laura en désignant Angela près de la voiture de Ted.

Claire s'arrêta net.

— Oh non... !

Angela leur tournait le dos et discutait avec Ted. Elles s'approchèrent discrètement et Laura eut un pincement au cœur en l'entendant déclarer froidement :

— ... Tu pourras exploiter tes talents à Yellow Sun ! Maman ne désespère pas de te voir travailler ici.

— Ted a déjà du travail ! lâcha Laura.

Angela sursauta et se retourna.

— Qu'est-ce que tu racontes ?

— Tu le sais très bien ! Ne te fatigue pas, j'ai tout entendu, mais Ted ne quittera sûrement pas Heartland ! N'est-ce pas, Ted ?

Ted se contenta de la regarder et Laura se sentit mal. Elle n'aurait jamais dû répondre à sa place. Mais, ces derniers temps, tout était devenu si compliqué entre eux !

Angela gratifia Ted d'un regard enjôleur et continua :

— Il n'est pas trop tard pour prendre ta décision. Le poste est vacant et tu n'as qu'à donner ton prix, lâcha-t-elle tranquillement.

— On y va ! lança Laura en jetant les couvertures dans la voiture.

Malade ! Elle en était malade ! Elle aurait volontiers donné un coup de pied à cette garce ! Comment cette chipie osait-elle relancer Ted devant elle ? Le sourire ironique d'Angela acheva de la mettre hors d'elle. Elle explosa :

— On part ! cria-t-elle en s'installant sur le siège du passager et en claquant la portière.

Claire monta à l'arrière. Angela se tourna alors vers elle.

— Pathétique ! Tu avais donc si peur qu'il t'a fallu des renforts ?

Claire détourna la tête.

Ted démarra.

— Salut, Ted ! N'oublie pas ce que je t'ai dit, lui lança Angela avec un large sourire.

13

Bouleversée, honteuse de s'être emportée devant Angela, Laura ne desserra pas les dents jusqu'à Heartland.

Elle se rendit directement au fond de l'écurie pour remplir les mangeoires. Claire était allée voir Flint dans son box et, après lui avoir massé le front et les épaules, elle annonça la nouvelle à Laura :

— Flint est prêt à travailler.

— Très bien, répondit brièvement Laura.

Elle n'arrivait pas à chasser Angela de son esprit. Et si Ted acceptait son offre en se disant qu'il n'avait plus rien à faire à Heartland ?

Ce serait la catastrophe !

— Où Angela veut-elle en venir avec Ted ? s'informa Claire innocemment.

— Ne me parle plus jamais d'elle, tu veux ?

Claire se le tint pour dit.

— Aujourd'hui, tu vas lui faire travailler les voltes, reprit Laura.

Ted avait raison. Claire devait s'y mettre coûte que coûte.

— Moi ? gémit Claire, paniquée.

— Il est temps que tu sois plus ferme avec lui. Je vais te montrer et, ensuite, tu prendras ma place.

— Mmm...

Laura passa dix minutes avec Flint, puis appela Claire, qui les regardait derrière la barrière.

— À toi ! Viens me rejoindre.

— Tu es sûre ?

— Tout à fait.

— Alors, reste près de moi, au début.

Laura lui tendit la longe. Flint s'arrêta.

— Mets-le au trot, dit Laura.

— Au trot ! lança Claire.

Flint ne broncha pas.

— Allez, fais-toi obéir !

— Tu y réussis mieux que moi, se plaignit Claire en lui rendant la longe.

— Laura !

Elle se retourna. Ted était appuyé contre la barrière. Depuis quand les observait-il ?

— Qu'est-ce que tu veux ? cria-t-elle.

— Te parler une minute.

Laura arrêta Flint.

— Ça ne peut pas attendre ?

— Non...

— J'arrive... Claire, tu peux tenir ton cheval un instant ?

— C'est que...

— Ce ne sera pas long, lança Ted. Fais-lui faire quelques tours de piste.

— Je vais essayer...

Laura soupira. Que lui voulait Ted ?

— Allons discuter un peu plus loin, fit-il.

— De quoi s'agit-il ? reprit Laura, intriguée.

— De la relation entre Claire et son cheval. Tu devrais la laisser travailler seule.

Laura écarquilla les yeux.

— J'ai essayé ! Elle n'a pas voulu !

— Tu aurais dû insister. Je sais que tu

veux l'aider, mais tu en fais trop. Claire n'a aucune chance d'y arriver ainsi.

— Moi, je ne demande que ça. Mais tu as vu comment Flint s'est conduit la dernière fois ?

— Laisse-la se débrouiller, insista-t-il.

Laura hocha la tête.

— Je dois aussi penser à Flint, le cheval passe avant.

— Sauf quand il s'agit de Rainbow ? lança Ted.

— Tu es injuste ! Je n'aime pas plus que toi la façon dont John le dresse. Mais puisque tu es si compréhensif avec Claire, tu ne pourrais pas essayer de l'être un peu avec John ?

Ted eut un rire narquois et le ton monta :

— Il n'y a rien à comprendre avec lui ! Ce type est un gosse de riches qui s'occupe beaucoup plus de lui que de son cheval !

— Tu te trompes ! Il l'aime beaucoup !

— Il a une drôle de façon de le montrer ! Je ne vois pas pourquoi tu prends constamment sa défense ! Je suis venu ici pour travailler et respecter les idéaux de ta mère, mais depuis quelque temps Heartland n'est plus pareil !

Et, une fois de plus, il la planta là.

Laura revenait lentement au manège en ruminant la nouvelle dispute lorsque, soudain, elle resta médusée.

Claire se tenait au milieu de la piste et Flint trottait docilement.

— Fais-lui faire une volte à droite ! cria Laura.

Flint hésita, Claire agita légèrement la chambrière sur le sol.

— Volte à droite !

Flint obtempéra, puis s'arrêta net.

Laura fit un pas en arrière. Il valait mieux que Flint ne la voie pas.

— Au trot ! ordonna Claire.

Flint la regarda.

— Au trot ! répéta-t-elle.

Flint capitula. Radieuse, Claire le mit au pas et s'avança vers lui pour lui flatter l'encolure.

— On est amis ?

Le cheval dut juger qu'elle en faisait un peu trop, car il commença à s'énerver. Laura retint sa respiration. Claire allait-elle paniquer ? Non. Elle l'attrapa par le licou et lança d'un ton ferme :

— Ça suffit !

Flint encensa, hennit, puis se calma aussitôt. Pour la première fois, on pouvait voir une lueur de respect briller dans ses yeux.

Laura poussa un soupir de soulagement et revint vers l'écurie. Claire et Flint avaient enterré la hache de guerre. Peut-être pourrait-elle en faire autant avec Ted ? C'est tellement pénible de se disputer constamment !

Que deviendrait-elle sans lui ? Il était le seul à l'avoir toujours comprise.

Elle s'apprêtait à entrer dans la sellerie, lorsque le téléphone sonna. Elle courut vers la maison, mais la porte de la cuisine était ouverte et Ted avait déjà décroché.

— ... Oui... le salaire est intéressant ainsi que les deux jours de congé par semaine... disait-il.

Le salaire ? Les jours de congé ? Il y eut un silence, puis Ted reprit :

— ... Bien sûr, je vous le ferai savoir, madame Gorst.

Laura s'enfuit, elle en avait assez entendu.

De quel droit Valery Gorst relançait-elle Ted jusqu'ici ? Et lui... envisageait-il sérieusement de partir travailler à Yellow Sun ?

Le cauchemar.

Elle gagna l'écurie et se laissa tomber sur une botte de paille, la tête dans les mains, incapable de retenir ses larmes. C'était trop dur... Heartland sans Ted ? Pourquoi fallait-il que, à peine un problème résolu, il s'en présente un autre ? Jusqu'à présent, elle avait toujours réagi comme une battante, mais là, c'était trop !

Un bruit de pas la fit sursauter. Elle essuya rapidement ses joues. Ted venait d'entrer.

— Qu'est-ce que tu fais là ? demanda-t-il en la dévisageant.

— Rien...

— Tu pleures ?

Elle détourna la tête.

— Non.

— Laura ? Ça ne va pas ? insista-t-il en la saisissant par le bras.

Son chagrin fut vite balayé par la colère. Comment pouvait-il se montrer aussi calme après ce qu'elle venait d'entendre ? Il l'avait trahie ! Il avait l'intention de partir ! Alors, qu'est-ce que ça pouvait lui faire qu'elle aille bien ou non ?

Elle le repoussa violemment.

— Fiche-moi la paix ! Je te déteste ! Laisse-moi seule et dégage !

Ted pâlit, fit un pas en arrière et sortit de l'écurie sans un mot.

Aussitôt Laura se laissa retomber dans la paille et éclata en sanglots.

❧ *14* ❧

Un long moment s'écoula avant que Laura sèche ses pleurs. Elle passa de l'eau sur son visage et retourna au manège. Mme Whitely comptait sur elle. Claire et Flint aussi.

Claire l'accueillit par un cri de victoire.

— Regarde ! Il galope ! Il m'obéit ! Il...

Elle s'interrompit :

— Tu en fais une tête !

— Non, ça va.

— Il voulait quoi, Ted ?

— Rien d'important.

— J'ai hâte que maman voie comment Flint se conduit avec moi ! s'écria-t-elle, toute à sa joie.

En ramenant Flint à l'écurie, Claire

s'empressa d'annoncer la bonne nouvelle à Ted.

— Je savais que tu réussirais, dit-il gentiment.

— Maintenant, je vais établir un véritable lien avec mon cheval.

Ted resta de marbre avec Laura. Il acheva son travail et, lorsque Claire repartit, il déclara sèchement :

— Demain, je prends mon jour de congé. Je serai là dimanche.

Puis il partit chercher son blouson dans la sellerie et fila.

Laura le regarda s'éloigner, le cœur lourd. Elle faillit le rattraper pour lui dire qu'elle regrettait ses paroles et combien elle tenait à lui, mais elle ne bougea pas. L'idée qu'il puisse travailler à Yellow Sun la retint. Elle se sentait trahie.

Le lendemain matin, Claire arriva à neuf heures. Jamais elle n'était venue si tôt.

— J'étais trop impatiente de faire à nouveau travailler Flint à la longe. Tu crois que je pourrais enchaîner deux fois de suite ?

— Oui, mais pas trop longtemps à chaque fois.

Tout se passa à merveille. John rejoignit Laura derrière la barrière.

— Ça va nettement mieux, hein ? remarqua-t-il.

— Oui, Flint lui fait confiance et elle a beaucoup plus d'assurance... Détache-le maintenant et voyons comment il se conduit ! cria-t-elle à son amie.

Claire se retourna, indécise.

— Tu crois ?

— Essaie, utilise seulement la chambrière pour l'encourager.

Claire détacha la longe. Flint se mit au pas, puis s'immobilisa.

— Sers-toi de la chambrière ! répéta Laura.

Claire la fit claquer sur le sol.

— Au pas !

Flint parut un peu surpris, mais il s'exécuta.

— Au trot ! ordonna Claire.

Le cheval obéit. Il effectua une volte, repartit au trot et s'arrêta docilement.

— Il est merveilleux, non ? jubila Claire en le caressant.

— Vous l'êtes tous les deux, souligna Laura. Mais c'est assez pour aujourd'hui.

— C'est un autre cheval, dit John en les suivant dans la cour.

— Oui, mais parce qu'on lui a donné le choix de travailler, au lieu de l'y obliger. Tu sais... c'est le rêve de tout cavalier, conclut Laura en espérant que ces mots feraient leur chemin.

Peut-être que John comprendrait enfin ? Ainsi Heartland continuerait à bien fonctionner. À condition que Ted ne les abandonne pas. Devait-elle lui avouer qu'elle avait surpris sa conversation avec Valery Gorst ?

Après avoir été si à l'aise avec lui, voilà qu'une cachotterie en entraînait une autre, de sorte qu'elle ne savait plus du tout où elle en était.

Le dimanche matin, Mme Whitely accompagna sa fille, qui trépignait de joie à l'idée de lui montrer combien Flint s'était radouci.

Elle entraîna sa mère dans l'écurie pour seller Flint et lui faire voir les légers massages que Laura lui avait appris.

John arriva cinq minutes plus tard pour sortir Rainbow.

— Tu viens avec moi ? demanda-t-il à Laura.

— Non, je dois rester avec Mme Whitely.

— Très franchement, j'avais des doutes, observa cette dernière. C'est prodigieux !

— C'est maman qui nous a enseigné à Ted et moi tout ce que nous savons.

Sa gorge s'était nouée. Qu'était devenue cette précieuse complicité entre Ted et elle ?

Lorsque Claire fit entrer Flint dans le manège, sa mère frémit malgré elle.

— Sois prudente, ma chérie.

Elle n'avait pas terminé sa phrase que Flint plongeait en avant en hennissant joyeusement. Au milieu du manège, Claire saisit la chambrière, en caressa le sol et ordonna d'un ton ferme, sans quitter Flint des yeux :

— Tout doux, au trot !

Flint encensa, puis se mit à trotter docilement et ensuite à galoper.

— Elle l'a vraiment en main, murmura Mme Whitely.

Claire le fit ensuite travailler avec et sans

la longe. Laura sentit ses yeux se mouiller de larmes. La joie de Claire, la fierté évidente de sa mère, le lien de confiance qui s'était établi entre le cheval et sa cavalière étaient sa plus belle récompense.

Un bruit derrière elle la fit se retourner. Ted était là. Depuis combien de temps observait-il cette démonstration ? Mais, en découvrant que Laura l'avait vu, il tourna les talons.

— Je peux le garder, maman ? cria alors Claire.

— Oui, chérie.

Flint dut comprendre qu'il était accepté, car il vint renifler la joue de Claire. Mme Whitely sourit.

— ... Je crois même que nous allons nous installer définitivement dans les environs et acheter une maison, ajouta-t-elle.

Claire et sa mère venaient juste de partir quand le téléphone sonna. Laura décrocha.

— Bonjour, pourrais-je parler à John Stillman, s'il vous plaît ? demanda une voix de femme.

— Oui, ne quittez pas. Qui dois-je lui annoncer ?

— Je suis sa mère.

Laura se rua vers la porte.

— Ta maman au téléphone ! cria-t-elle.

— Tu peux me tenir Rainbow ?

John courut jusqu'à la maison pendant que Laura jetait un coup d'œil à l'étalon. Il l'avait encore poussé jusqu'à ses limites : il était de nouveau en sueur. Laura le fit marcher pour éviter qu'il ne prenne froid.

Cinq minutes plus tard, John revenait avec sa tête des mauvais jours.

— Un problème, John ?

— Maman ne viendra pas me voir concourir ! gronda-t-il.

— Oh... Je suis désolée.

— Comment ai-je pu être assez stupide pour croire qu'elle viendrait ! Elle annule toujours au dernier moment ! Tu sais quoi ? Qu'elle aille au diable, je m'en fiche !

Il prit les rênes et enfourcha son cheval.

— Où tu vas ? s'écria Laura.

— M'entraîner. Que maman soit là ou non, je m'en moque ! Je n'ai pas besoin d'elle ! Je n'ai besoin de personne !

— Mais, John, tu viens déjà de le faire galoper !

John ne répondit pas et traversa la cour.

En entendant claquer les sabots de Rainbow, Ted sortit de l'écurie.

— Où va-t-il ? Je croyais qu'il avait déjà sorti Rainbow ?

— Il l'a fait. Mais il a reçu un coup de fil de sa mère qui l'a rendu dingue... Je crois qu'il va faire sauter son cheval.

— Il est cinglé, ce type ! gronda Ted en se dirigeant vers le manège.

Laura lui emboîta le pas.

Quand ils arrivèrent, John avait déjà lancé Rainbow au galop et le dirigeait vers la barre.

— Stop ! Tu vas l'éreinter ! cria Laura.

John l'ignora, abattit sa cravache sur l'encolure de sa monture qui franchit aisément l'obstacle. John mit alors pied à terre pour relever la barre d'un cran.

— Qu'est-ce que tu fabriques, John ? s'énerva Ted en s'avançant vers lui.

— Tu le vois bien ! Et maintenant, fiche-moi la paix !

Ted ne bougea pas. John enfourcha son cheval et le lança au galop.

D'un seul coup, Laura eut l'horrible vision de Pegasus monté par son père, lors de ce fatal concours. Elle crut voir la barre s'envoler, entendre le bruit sourd du cheval et de son cavalier s'écroulant. Elle courut jusqu'à l'obstacle.

— Non, John ! S'il te plaît !

John le cravacha de plus belle : Rainbow prit son élan, puis freina des quatre fers.

— Tu vas obéir, oui ! rugit John.

Rainbow paniqua et roula des yeux terrifiés.

— Crétin ! hurla Ted en tirant brusquement Laura par l'épaule.

Le visage de John se crispa, ses yeux lançaient des éclairs. Il abattit à nouveau la cravache sur les épaules de Rainbow et le dirigea vers la barre.

— Non ! hurla Laura.

Rainbow s'envola, mais si rapidement que, surpris, John se retrouva sur le cou de l'animal. Ted en profita pour s'emparer des rênes.

— Tout doux ! mumura-t-il au cheval affolé.

— Tu vas me lâcher ? s'énerva John en se remettant en selle.

Loin de lui rendre les rênes, Ted le poussa et John se retrouva le nez dans la poussière. Un bref instant, Laura craignit qu'ils n'en viennent aux mains.

— Ted, pas ça ! cria-t-elle.

Ted leva le bras, prit une profonde inspiration et fusilla John du regard :

— Fiche le camp ! Hors d'ici et que je ne te revoie plus jamais !

John se releva, épousseta ses vêtements, puis, sans un mot, il tira Rainbow par la bride et sortit du manège.

Laura contempla tour à tour le visage furibond de Ted et la silhouette de John qui traversait la cour.

Elle hésita, puis fit un pas en avant.

Ted plongea ses yeux dans les siens.

— N'y va pas, Laura, dit-il d'un ton glacial.

— Si. Je le dois.

— Si tu vas le retrouver, je quitte Heartland à tout jamais... Assez de compromis. Je ne resterai pas les bras croisés devant tant de cruauté... Même pour toi.

— Que veux-tu dire ? murmura-t-elle.

Ils furent interrompus par un cri déchi-rant.

— Laura !... C'est Rainbow !... Viens vite !

15

— Rainbow s'est écroulé dans son box ! cria John, affolé.

Quand Laura arriva, elle trouva l'étalon qui se roulait dans la paille.

— C'est une colique ! Aide-moi à le relever ! dit-elle en saisissant le licol.

Mais dès qu'il fut sur ses jambes, ses membres se mirent à flageoler.

— Force-le à marcher. Si on le laisse se rouler aussi violemment, il va se tordre l'intestin. Je vais chercher Ted.

— Appelle plutôt le vétérinaire !

Elle se précipita dehors.

— Rainbow ne va pas bien ! Il a des coliques. Ne le laisse pas tomber, je t'en supplie !

Ted lui jeta un regard chargé de reproche.

— Tu m'as déjà vu abandonner un cheval en détresse ?

Un instant plus tard, il entrait dans le box. Rainbow était ruisselant de sueur.

— John, qu'a-t-il mangé quand tu l'as sorti ?

— Un peu d'herbe sur le bord d'un chemin.

— De l'herbe coupée ?

— Évidemment, non ! Je sais que ça peut donner la colique. Je ne l'ai pas fait boire non plus. Je ne suis pas stupide !

— Du calme, John, Ted veut seulement t'aider, intervint Laura.

John passa la main dans ses cheveux.

— Désolé...

— Laura, tu veux bien appeler Scott ?

Elle partit en courant pour lui téléphoner. Scott n'était pas au centre vétérinaire, elle laissa un message.

— Qu'est-ce qui se passe ? demanda Lou en entrant dans la cuisine.

Laura la mit au courant. Lou hocha la tête.

— Aïe ! C'est mauvais... Je vais chercher grand-père.

Un instant plus tard, Jack Bartlett accourait à son tour.

— Nous ignorons ce qui lui a donné la colique, déclara Ted.

— Continue à le faire marcher, dit Jack.

— Il semble aller de plus en plus mal, gémit John.

— Je me demande si ce n'est pas autre chose qu'une colique, murmura Ted.

— À quoi tu penses ? demanda Jack.

— À un empoisonnement. Les symptômes sont les mêmes.

Ted s'approcha de Rainbow.

— Tenez-le pendant que je lui ouvre la bouche... Regardez ses gencives, elles sont enflammées.

Il se tourna vers John.

— Qu'est-ce qu'il a mangé d'autre ?

— Rien que de l'herbe !

— Cette herbe, elle bordait quel champ ?

— Je crois qu'il venait d'être ensemencé.

— À quel poison penses-tu ? demanda Jack.

— Un engrais à base de mercure. Les herbes ont pu être contaminées.

— Tu crois qu'on pourrait lui donner du bicarbonate de soude ? intervint Laura.

— Peut-être... Ça vaut le coup d'essayer, répondit John après une courte hésitation.

— Laura, Jack, pouvez-vous aider John à le ramener dans sa stalle ? Je vais préparer la solution. J'espère que Scott ne va pas tarder à arriver.

Rainbow tenait à peine sur ses jambes. Quand il fut dans son box, John tourna autour de lui pour l'empêcher de s'écrouler.

— Je ne me le pardonnerai jamais, gémit-il, les traits déformés par le chagrin.

Ted revint avec deux bouteilles.

— Je sais que ça ne va pas te plaire, bonhomme, mais on n'a pas le choix, dit-il en renversant en arrière la tête de l'étalon pour lui ouvrir la bouche et y glisser le liquide.

Après que Rainbow eut ingurgité la première bouteille, Ted s'empara de la seconde.

— Tu es sûr que c'est la seule chose à faire ? demanda John.

— Oui, il faut qu'il élimine le poison.

Laissons-le s'allonger dans la paille maintenant.

Laura s'agenouilla près de sa tête pour lui faire des petits massages circulaires. Peu à peu, le cheval se détendit.

— Tu peux me montrer comment tu fais ? demanda John.

Elle s'exécuta et lui laissa la place.

Pendant ce temps, Ted bouchonna Rainbow qui commençait à souiller sa litière. Jack Bartlett allait chercher de la paille fraîche quand Scott arriva.

Il confirma le diagnostic de Ted.

— Il me semble tiré d'affaire, mais tu as bien fait d'agir vite.

— Il est sauvé ? balbutia John.

— Il faut lui faire une piqûre et prélever ce qu'il a déjà rejeté. Dans deux jours, il sera sur pied. Je vais chercher mon matériel dans ma voiture.

C'est alors que Laura craqua. Elle se mit à sangloter.

— Hé ! lança Ted en la prenant dans ses bras. Tu as entendu Scott ! Rainbow va bien.

Après toute la tension de ces derniers

jours, le moment qu'ils venaient de vivre
était la goutte d'eau qui avait fait déborder
le vase.

Quand Scott eut fini de soigner Rainbow,
il désigna les marques laissées par la cravache.

— D'où ça vient ? demanda-t-il en regardant John.

Ce dernier devint cramoisi.

— Heu... je...

— C'est arrivé dans le paddock, un petit
règlement de comptes entre chevaux, intervint Ted.

Laura en resta ébahie. John jeta à Ted un
regard surpris.

— Bien, dit seulement Scott en se redressant.

Jack avait regagné la maison. Lou se
tenait sur le seuil de la porte.

— Scott, vous avez envie d'un verre ? lui
demanda-t-elle.

— Avec plaisir, répondit ce dernier, un
grand sourire aux lèvres.

Quand ils furent partis, John se tourna
vers Ted.

— Merci, tu as été chouette.

Ted se contenta de hausser les épaules.

— Mais si, Ted, je suis sincère, reprit John. Et pas seulement pour ce que tu viens de dire, tu as sauvé mon cheval.

Il s'accroupit dans la paille et le caressa.

— Tu sais, ajouta-t-il d'une voix rauque, Rainbow est la seule chose que j'aie au monde.

Ted le regarda, étonné.

— Tu crois que j'ai tout ce que je veux et que je suis un type gâté, tu te trompes. Mon père nous a abandonnés quand j'avais dix ans. Ma mère ne l'a pas supporté et m'a envoyé chez tante Lisa. Tante Lisa voulait aussi vivre sa vie... Aussi, quand elle m'a expédié à Heartland, je me suis senti rejeté une troisième fois... D'accord, je ne suis pas le seul à avoir des problèmes, mais...

Il laissa sa phrase en suspens.

— J'étais au courant, glissa doucement Laura. Mais Ted l'ignorait.

John leva les yeux vers Ted.

— Ce n'est pas une excuse, mais peut-être me pardonnerez-vous plus facilement de m'être conduit comme un égoïste.

— John, je crois sincèrement que ta tante

ne t'a pas placé ici pour se débarrasser de toi, le rassura Laura. Elle voulait vraiment que tu apprennes nos méthodes pour les appliquer sur les chevaux de Fairfield.

Il hocha la tête :

— Possible... Elle m'a quand même offert Rainbow. Gagner dans les concours est devenu pour moi la seule façon de me valoriser... Je.. je serai désolé d'avoir à partir d'ici.

— Partir ? s'écria Laura.

— Je me suis mal conduit, je le reconnais.

Laura regarda Ted dont le visage s'était éclairé.

— Tu peux rester ici, John ! lança-t-il en lui donnant une bourrade.

Laura et Ted laissèrent John et son cheval dans la stalle et sortirent.

— Depuis quand tu connais le passé de John ? demanda Ted.

— Depuis quinze jours. Lisa a fait promettre à Lou de n'en parler à personne. Elle s'inquiétait pour son neveu et craignait qu'il ne se sente rejeté une fois encore. C'est pour ça que Lou m'en a parlé. Elle voulait que je sois plus gentille avec John et que je lui laisse le temps de s'acclimater à Heartland. Mais aussi, elle m'a fait jurer de ne rien dire... Tu sais... Ça m'a fait très mal de ne pas pouvoir t'en parler. On n'avait jamais eu de secrets l'un pour l'autre...

— Tu ne pouvais pas faire autrement. Maintenant, je comprends pourquoi tu étais sans cesse accrochée à John.

— Et c'est toi qui as dû croire que tu étais devenu la cinquième roue du carrosse !

— C'est ça qui m'a rendu dingue !

— Moi, c'est autre chose !

— Quoi donc ?

Laura n'y tint plus et s'écria, sans reprendre son souffle :

— Oh, Ted ! Ne t'en va pas, je t'en supplie !... Nous avons besoin de toi... Heartland ne serait plus le même si tu partais !

— Hé ! De quoi tu parles ? Partir où ça ?

— À Yellow Sun !

— Qu'est-ce que tu veux que je fasse à Yellow Sun ? Tu n'as tout de même pas cru qu'Angela allait me débaucher ?

— Eh bien, si... Surtout après avoir surpris ta conversation avec Valery Gorst !

— Quand ça ?

— Je n'ai pas fait exprès, mais j'ai tout entendu quand elle t'a téléphoné !

Allait-il être déçu par son attitude ?

— Je voulais te l'avouer... Mais je n'ai pas osé, ajouta-t-elle. Tout allait si mal entre nous, alors j'ai pensé que ce n'était pas le moment d'en rajouter.

Il plongea son regard dans le sien.

— Écoute, Laura, ce n'est pas important. Par contre, je voudrais te poser une question.

— Oui, laquelle ?

— Dis-moi franchement : tu as vraiment pensé que j'aurais pu refuser de soigner Rainbow à cause de mes disputes avec John ?

Laura se mordit la lèvre. Cette pensée lui avait traversé l'esprit.

— Heu... pas vraiment. Mais...

— Mais tu as cru aussi que je voulais partir ?

— Oui, j'en ai eu peur !

— Alors sache que je n'ai jamais eu